D1352837

FRANÇOISE MALLET-JORIS

Lettre
à moi-même

Éditions J'ai Lu

FRANÇOISE MALLET-JORIS | ŒUVRES

En vente dans les meilleures librairies

Lettre
à moi-même

FRANÇOISE MALLET-JORIS

© *Julliard, 1963*

PREMIÈRE PARTIE

Vaches.

Chambre fraîche, carrelée. Dehors, champs brûlés de soleil. Pommiers, vaches. Eté. Une visite.

— Qu'est-ce que tu deviens ?

— J'écris un roman...

— Encore un ! dit Lucien. Je ne crois plus au
roman. Ni à la littérature, d'ailleurs.

— Ah ?

— Dans vingt ans on ne lira plus que l'anglais.

— Tu crois ?

— Dans trente ans on ne fera plus que regarder la télévision.

— Et puis ?

— Des bandes dessinées. Des bandes dessinées,
je t'assure ! Les gens ne seront plus capables de
lire autre chose. Alors, quand tu me dis que tu
écris un nouveau roman, tu comprends...

— Ça te fait rigoler ?

Il a un petit geste de retrait — non, ça ne le
fait pas rigoler, il ne va pas jusque-là (et d'ail-

leurs, ce vocable lui va bien mal), mais enfin...
Ma confiance le surprend, lui ferait plutôt de la
peine. Lui aussi écrit, c'est entendu, mais sans
illusion.

— ... pour moi-même...

Chambre fraîche. A travers la fenêtre à petits
carreaux, large horizon de pommiers et de vaches. Ample vue des champs brûlés, roux et gris.
Sécheresse qui tue les couleurs. En Flandre, les
champs sont verts, le soleil doré, les nuages
ronds, lumineux et cernés, une gloire louis-qua-
torzième, à cause de l'humidité qui imprègne l'air
lourd.

— ... à cause de l'humidité...

— Ah, oui ? dit-il, absent.

Ça ne l'intéresse pas ; au fond, la seule chose
qui l'intéresse, c'est la littérature, et d'en déplo-
rer lugubrement la fin.

— Tout de même, tu m'avoueras, quand tu me
dis paisiblement là, en face de tes vaches, que tu
écris un nouveau roman, comme tu me dirais
que le blé pousse bien...

C'est un romantique, Lucien. Malgré son état
de fonctionnaire, ses façons un peu guindées et
ses lugubres prédictions, c'est un romantique.

— Je ne puis pas te dire ça en me tordant les
mains, tout de même !

— Enfin, dit-il de l'air qu'il doit avoir pour interroger un cancre à l'examen de passage (douceur exaspérée, conviction bien arrêtée de la nul-
lité de l'élève, mais résignation de qui fera son

devoir jusqu'au bout), enfin, tu y crois, toi, à l'avenir de la littérature ?

— Je ne sais pas. Je m'en fous. Je ne me pose pas la question. J'écris en face de mes vaches, comme tu dis.

En fait, je ne suis pas aussi assurée que je le parais. Et ces vaches ne me sont rien. Mais ce genre de question me paraît stérile, m'ennuie. Et j'aime taquiner un peu Lucien.

— Et si on ne lit plus, tu t'en... moques ?

— J'écrirai en anglais, voilà tout.

— On ne le lira pas longtemps.

— J'écrirai pour la télévision.

— Tu feras des bandes dessinées, peut-être ?

— Pourquoi pas ?

Il est agacé. Pourtant, lui qui a donné dans le surréalisme, ça devrait lui plaire, ces bandes dessinées. Eh bien, non. D'ailleurs, tout l'agace un peu, ici. Les vaches (est-ce qu'on vient faire une visite en Normandie, au cœur de l'été, quand on ne peut pas voir une vache ?), les enfants, les romans projetés, les toiles qui sèchent, tournées contre le mur, sans compter le cidre qui lui donne mal au ventre. Je reconnais que dans cet après-midi d'été, dans le silence plein de la chambre, le reflet de ses carreaux cirés, et, dehors, le bourdonnement des insectes qui semble celui-là même de la chaleur, il y a quelque chose d'un peu trop exemplaire, de trop parfait. Les fruits tombés trop tôt mûrissent sur la claie, le grésillement sec des grillons de l'été, tout s'organise en grap-

7

pes d'alexandrins. Agaçant, pour un ancien surréaliste, pourri de principes comme tous les anciens surréalistes que j'ai rencontrés. Ça manque un peu d'enfer, tout ça. Trop parfait, trop léché, trop *en couleur*. L'artiste soviétique, rêvant devant ses sillons et entouré de têtes blondes. Tout ce que Lucien n'aime pas. Mais qu'est-ce qu'il aime ? On peut se le demander à le voir vivre, austère, mondain (l'un n'exclut pas l'autre), d'une élégance un peu funèbre (à mi-chemin entre le dandy et le croque-mort) et la condamnation à la bouche ; un prophète dédaigneux et frugal, habillé sur mesures — même les chemises, luxe qui nous fait rêver.

Il y a vraiment des amis dont on ne sait pas pourquoi ils sont des amis. Le hasard d'une rencontre, l'habitude qui se prend, et voilà Lucien, trente-cinq ans, poète froid, professeur de latin (cela lui va bien, cette langue morte) qui vient régulièrement me voir, chaque mois à Paris, chaque été à la campagne, émet quelques funèbres prédictions, regarde autour de lui avec une désapprobation tolérante (nuance *Le Monde*) et repart après le repas, gêné, gênant, avec sous le bras sa serviette où voisinent le vieux Sade et ces copies sabrées de rouge. Etrange monde de Lucien ! Monde abstrait, salles de classe, salons, élégant studio dans un quartier qui ressemble à Lucien, désert, décent, funèbre... Lucien est un bon poète, me dit-on.

Le connaissant, je sens bien que mon monde à

moi (vaches, enfants, toiles et roman, commencé) doit lui paraître aussi étrange. Lui aussi doit se dire : « Il y a des amis, vraiment... » Et nous continuons à converser, de part et d'autre d'un gouffre.

Il doit y avoir un malentendu quelque part, mais comment le dissiper ? Après tout, Lucien et moi sommes peut-être vraiment amis ? Mais que tenter ? La parfaite courtoisie de Lucien m'interdit toute attaque directe. « Tes enfants sont magnifiques... » dit-il. Ou : « Quelle agréable propriété ! »

Avec un écœurement amusé, je me vois avec les yeux de Lucien. On dirait un reportage de *Paris-Match*. Moi parmi les vaches, sous les pommiers. Et une photo, une. Jacques, mon mari, un peu plus loin, dans un champ, savamment débraillé devant son chevalet. Les têtes blondes dans des poses pittoresques, devant *la vieille ferme où elle vient chercher le repos nécessaire à...* Je ferais très bon effet, avec mon chien, et, cet été, mon ventre chargé d'un quatrième enfant. Du moins, aux dires des photographes.

— Sur le seuil, peut-être ? Ces vieilles marches...

— Un peu conventionnel, tu ne crois pas, mon coco ? En train de ramasser le gosse qui pleure, peut-être... Tu veux faire comme si tu pleurais, ma poulette ?

Ravie, ma fille acquiesce et se livre aux singeries les plus inspirées.

— Encore une, voyons... La cuisine ? La cheminée ne fait pas mal non plus. Au coin du feu...

— En août, voyons, mon kiki !

— Quoi, en août ? Il pleut quelquefois, en août. On est en Normandie, tout de même !

— Oui, mais tout le monde sait que cette année...

— Bon, bon, ce que j'en disais... Comptant vos fruits, alors. Ce sera joli de couleurs...

Je vois ça comme si j'y étais. Gérard Géry qui me promet toujours de m'envoyer des photos et ne le fait jamais, les enfants surexcités, les photographes charmants, contrairement à leur réputation, qui profitent de cette journée de campagne pour batifoler dans les foins et grimper aux arbres, achètent des sucettes aux petits et sont de vrais *copains,* des copains qu'on ne reverra jamais d'ailleurs — ce ne sont jamais les mêmes qu'on envoie —, tout cela qui est tout à fait gentil et baigne dans la subtile fausseté des parties de campagne. Et cette Mallet-Joris paisible et assurée, ces romans, ces enfants, ces VACHES... Elles obsèdent Lucien, c'est évident. Il leur jette à la dérobée des regards apeurés. Elles lui paraissent symboliques de notre enracinement terrestre, à Jacques et à moi. Il dit à Jacques :

— Et vraiment, ça ne vous gêne pas pour peindre ?

— Quoi ? dit Jacques qui n'écoute jamais les conversations.

— Ces vaches...

— Quelles vaches ? dit Jacques, inquiet, comme

s'il s'attendait à en apercevoir une dans la pièce. Ah ! oui, les vaches... Mais je ne peins pas de vaches...

Je sens que, s'il osait, Lucien dirait : « Et ces enfants ? » (les enfants se situant pour lui, dans la hiérarchie des désagréments, à peine au-dessus des vaches), mais il n'ose pas. Peut-être aussi soupçonne-t-il Jacques, toujours aérien, d'être capable de lui répondre : « Quels enfants ? » Un peintre abstrait est capable de tout. Il se contente donc de murmurer : « Eh bien, vous voilà bien installés... » Et d'accepter un verre de cidre, à cause de la chaleur, mais avec une petite grimace prophétique (mais non, il n'enlèvera pas sa veste). Dieu sait pourtant que nous ne sommes pas ce qu'on appelle communément « bien installés ». Il n'y a pas encore de salle de bains (ce dont les enfants profitent largement pour ne pas se laver), les murs sont nus, les lits très durs, les meubles totalement inexistants et remplacés par des étagères ; mais j'entends bien Lucien. Ce qu'il veut dire, c'est : « Dans votre maison du haut de la colline, avec vos enfants, vos vaches (je ne serai pas capable de lui expliquer que ces vaches ne m'appartiennent pas — je le voudrais bien), vos romans, vos tableaux, vous êtes bien installés dans la vie. » Il est juste d'ajouter qu'il nuance cette opinion d'un sceptique : « Après tout, vous avez peut-être raison ? » qui a à peu près la même teneur en conviction que le fameux *C'est toujours les meilleurs qui partent...* au chevet des cadavres

11

devenus inoffensifs, et me procure le même genre de malaise.

Il faut dire que je cesse rarement d'éprouver une sorte de gêne. Dans les conversations, dans les dîners, dans la vie. Tous ces petits *malaises* s'accumulent et je ne suis pas satisfaite jusqu'à ce que j'aie pu en déterminer la cause. J'y arrive parfois en deux secondes ; d'autres fois, il m'a fallu des années pour qu'une perplexité d'un instant, qui formait comme un petit nœud dans ma mémoire, enfin — et parfois fortuitement — se dénoue et s'apaise. Voici un petit nœud de plus que cette image que je vois se former dans les yeux (un peu petits) de Lucien, ami distant et réservé, poète de talent, fonctionnaire consciencieux. Et comme il est curieux que cette image rapproche le sceptique et distingué Lucien et l'agité et cordial photographe platiné de *Paris-Match.*

— Il y a des choses à faire avec vous, me dit ce dernier d'un ton flatteur. D'ailleurs les femmes, surtout quand elles ont des enfants, c'est toujours plus facile.

Je contemple cette Mallet-Joris qui « fait toujours bien » en toutes saisons, dans tous les décors, pourvu qu'elle y mette un peu de bonne volonté. Sous un arbre de Noël (*c'est dommage, vous avez coupé vos cheveux, le chignon faisait plus... comment dire...* Oui, comment dire ?) Je la vois faisant les devoirs d'un de ses enfants, ou penchée au chevet de son dernier-né (*vous savez* que c'est le quatrième ? Prenez les autres penchés au-dessus du berceau, cela fera très bien... Et la légende ? Elle a divorcé deux fois, vous savez. Mais après tout, cela prouve son goût pour le mariage, non ? Non, on ne le met pas, les lectrices...) et il me semble que nous avons bien peu de chose en commun. Je la vois avec un sourire avenant, en troisième page (pas la couverture — il faut attendre encore) et faisant des crêpes pour la Chandeleur, une jeune femme un peu gauche — ça ne fait pas plus mal, c'est *humain* — écrivain un peu populiste, un peu enfermé dans le pittoresque, bon cœur, famille nombreuse, non dépourvue d'un certain talent qu'on voit tout de suite réactionnaire, optimiste et *sain*, sachant faire la cuisine (c'est vrai), portant des gants (non) pour aller à la messe, des qualités, le cœur sur la main, et tricotant comme personne, un peu bête, mais d'une bêtise qui plaît aux lecteurs naïfs : « En voilà une qui ne fait pas tant de façons parce qu'elle écrit » et à d'autres, autrement naïfs, qui prennent un goût pour elle comme pour un pain de campagne : « Elle ne comprend rien à rien, mais elle est divine ! »

Pauvre Mallet-Joris. J'aimerais mieux, tout de même, qu'elle n'achève pas d'entrer dans ce médaillon, ce portrait de famille, en faisant des crêpes. Même et surtout si elle a l'habitude de les faire, ces crêpes, chaque fois que c'est la Chandeleur. « Si, si, soyez gentille, vous n'allez pas nous refuser ça, on vous fait deux pleines pages, peut-être une couverture. Après tout, il n'y a rien de déshonorant à faire une crêpe ! »

Bien sûr. Ni à passer l'été devant des vaches, ni à faire la cuisine, ni à écrire un nouveau roman sans se tordre les mains. Rien de déshonorant, mais quelque chose d'un peu agaçant tout de même. Je comprends Lucien, mais il a tort d'accuser les vaches, les enfants et le mariage. Après tout, ses petites élèves du lycée X valent bien mes pommiers et mes bovins. Ils lui donnent, dit-il, l'indépendance nécessaire à l'écrivain, c'est-à-dire un traitement et des vacances. Fort bien. Mais si mes ongles s'agacent devant l'émouvant reportage qui affirme que l'on peut être, à mon exemple, *écrivain et maman*, les dents de Lucien doivent grincer en lisant sur papier glacé que « cet humble petit professeur grisonnant est peut-être le plus grand écrivain français ». Vaches ou copies, nous voilà dans le même sac. Ou du moins sur le même catalogue que doivent consulter, sans doute, photographes et journalistes cherchant à boucler un trou en troisième page. De l'écho à la page couleur, on y trouve tout ce qu'on veut, dans ce catalogue. On voit tout de suite la photo à prendre, l'anecdote à suggérer. Lucien : classes sombres, solitude-murs-lépreux, errance dans Paris ; correction d'une copie d'élève, modestie de ce labeur ; et si l'on veut du pathétique : petit homme à peine ridicule, seul sur un pont, méditant d'admirables proses ; et de l'humain ; gros plan des lunettes et l'air effaré

14

de l'intellectuel surpris. C'est enfantin. Si on le veut attendrissant, il faut prendre le sujet d'en dessous : ses yeux clignant sans lunettes, ses lèvres minces au dessin effacé, un air d'invincible jeunesse... Mais de dessus, au contraire, le visage en lame de couteau, le pli méprisant de la bouche redevenue ferme... La solitude de pathétique devient méprisante. Il méprise l'humanité, vit au milieu de ses livres, se nourrit de Sénèque et serait plutôt à photographier de profil, devant une tête romaine, comme M. de Montherlant. Il n'y a qu'à choisir. C'est bien commode. Lui : solitude, ténèbres, lunettes et statues, moi, enfants, campagne ou café parisien, crêpes ou tricot, vaches...

Non, non, assez de vaches ! Elles commencent à m'obséder autant que Lucien lui-même. Hélas, on peut échapper aux vaches. Echappe-t-on aux

Catalogues ?

Les sous-titres de photos, les interviews les mieux intentionnées, tout cela me rappelle (comme les propos que je devine sur les lèvres de Lucien, doux-amers : *J'ai vu Françoise, hé oui, la campagne, les enfants, elle est heureuse...* Et les vaches de reparaître) l'embarras que l'on éprouve devant les prières d'insérer. *Le sujet de ce livre...* Bien sûr, le sujet. Et les personnages. *Le personnage principal, X, est un vieillard qui...* Pourquoi pas ? J'y crois, pourtant, au sujet. Même, ça

15

m'amuse de me dire : « J'ai écrit, je vais écrire, un livre qui racontera ceci : *Un homme écrit son journal et voilà que... Une jeune fille voudrait hériter de son père et tout à coup...* »

Plus le sujet est « sujet », plus il me plaît. Jusqu'à en rire un peu, comme on rit de ce qu'on aime. Jusqu'à le parodier un peu, pour l'isoler du reste, pour qu'on n'en soit pas trop dupe : *la favorite d'un roi...* Oui, j'aime ça. Et les personnages ! Eux aussi sortis d'un catalogue, pourtant. *C'était un homme d'une quarantaine d'années, au visage fatigué.* Ecrire une chose aussi simple m'exalte littéralement. Seulement... Comment le dire ? Je n'y crois pas plus que je ne crois à cette F.M.-J. qui *se lève à 6 heures et, dans le petit matin, va s'installer dans un café perdu et commence tous les jours à écrire, à la même heure, dans le cliquetis des tasses et l'odeur d'eau de Javel.*

Bien entendu, toutes apparences sont contre moi. Je me lève à 6 heures, je vais travailler au café, j'ai quatre enfants, je passe mes étés dans la petite ferme à flanc de colline... Comme dit Lucien, *je suis heureuse.* Et j'écris un nouveau roman. A vrai dire, j'en suis encore à prendre des notes, à attendre que quelque chose vienne à la surface, d'où, peut-être, mon impression de malaise quand j'ai dit : « J'écris un nouveau roman. » Et quand Lucien dit : « Tu écris un nouveau roman », il me paraît aussi qu'il voit les choses d'une façon un peu sommaire, un peu simplifiée, un peu gauchie, comme le voient les photographes de *Paris-*

Match ou de n'importe quel hebdomadaire de ce genre.

Ce qui m'agace, d'ailleurs, ce n'est pas qu'il se fasse de moi une opinion qui n'est pas la bonne. Ce serait plutôt que cette opinion soit si proche de la vérité qu'elle en emprunte toutes les apparences, qu'elle n'en diffère que par une nuance, un cheveu, un fil. Et cette nuance, c'est assez celle qui sépare pour moi le début d'un roman — l'instant où je me dis : « Je vais écrire l'histoire d'un homme qui... » — de l'instant où j'abandonne, après deux ans, le travail commencé, en espérant que ce livre est tout de même autre chose que l'*histoire d'un homme qui*. Alors ? Dois-je dire à Lucien : « Oh ! Tu sais, je n'y crois pas tellement, à la littérature... » Ce ne serait pas vrai non plus. Car il faut bien dire que j'éprouve depuis l'enfance une véritable passion, amusement et angoisse mêlés, patience et impatience mêlées, à observer, décrire, transformer et ne pas transformer, bref, écrire. Je le sens bien, lorsque, assise dans un café (impossible d'échapper à cette image) et un peu en panne, machinalement dans mon journal, pour passer le temps, en guise de récréation et d'exercice aussi, je prends des notes sur

n'importe qui.

Par exemple, un petit vieux — pas si vieux, mais

c'est le béret basque. Il lit un journal de droite, proteste parce que le café est tiède : « Je vous ai dit bouillant ! » Sa pauvre voix péremptoire. Il a des opinions politiques sur chacune de ses pensées comme des housses sur les meubles. C'est un ancien combattant, il va ranimer la flamme, il aime sa famille et lui empoisonne l'existence, il parle de l'artisanat, parle de la mesure française, parle de la grandeur française, parle des arbres français, du sol français et est décoré. Il cite Péguy (trois vers), il n'est-pas-antisémite-mais, bref n'importe qui, vraiment. Ecœurant de banalité. Sa maison de campagne ! (Un pavillon.) Ses rapports avec ses enfants ! S'il est célibataire, il remplace Péguy par « son vieux Montaigne » (édition Nelson, ou le vieux volume de famille, au chevet du lit, qu'il n'ouvre jamais). Il est alors plus sceptique et moins excité, le béret basque prend une valeur plus bohème, presque anarchiste, il aime dire : « Les tortures, on a toujours fait ça », et il martyrise sa vieille bonne qui le lui rend bien (les deux variétés de ce type martyrisent). Il peut aussi avoir dans sa bibliothèque Chateaubriand ou Anatole France, œuvres complètes reliées en veau, et collectionner quelque chose. Célibataire, il n'est pas trop soigné. Ses cols de chemise... Marié, il se lave à l'eau froide, pour pouvoir ennuyer ses enfants : « De mon temps on n'avait pas tout ce confort et... » Ce confort se borne d'ailleurs à une salle de bains jamais repeinte depuis la naissance du premier-né, et dont le chauffe-bain ne fonctionne que les jours fastes.

N'importe qui. Deux variétés parfaitement vrai-semblables d'une espèce qu'il faut bien, avec des excuses mentales à M. François Mauriac pour « l'ignoble mot de trois lettres », appeler : les vieux c... A noter que je ne mets dans cette des-cription aucune arrière-pensée politique. La droi-te, il est vrai, est fertile en vieux c... La gauche attire plutôt les jeunes c..., voilà tout. (Et l'igno-ble mot s'y porte aisément au féminin, aime se coucher tard, s'indigner jusqu'à l'extase, et se fait avorter par progressisme. La masturbation mentale qui s'accomplit journellement dans les cafés de la rive gauche autour des nations sous-développées et des atrocités policières est d'une ampleur babylonienne. Et essayez, avec tout ça, de trouver un volontaire pour coller des affiches, vous m'en direz des nouvelles.) Assez gentils, d'ail-leurs, ces grands-pères féroces qui veulent leur café bouillant, haïssent le bicot et le percepteur, indistinctement, et ces jeunes femmes en panta-lon, assez touchantes, quand elles n'en reviennent pas d'avoir un petit chagrin d'amour malgré le birthcontrol.

Je dis n'importe qui, et je parle de ce n'im-porte qui qu'on voit dans les cafés. Eh bien, quand j'ai noté ces histoires de chauffe-bain, et, à les voir aussi immuables, d'une périodicité aussi ma-thématique (et les histoires de copropriété, de voi-sin du dessous inondé, de petite bonne enceinte et de panne de voiture), goûté un certain plaisir mécanique, tout reste à faire. J'aime à analyser ce qui constitue les rouages de la vie de tous les jours, j'aime à sentir que cette connaissance me servira (et je vous assure que les histoires de chauffe-bain tiennent au moins autant de place dans la vie des gens que les histoires d'amour et la guerre d'Algérie), mais je sens bien que tout ça, ce sont des accessoires, et peut-être des alibis. Et je sens que le petit vieux (pas si vieux, mais c'est le béret basque), ce petit vieux qu'il me serait facile de décrire et qui serait alors *si bien rendu* (comme dit l'apprentie coiffeuse qui achète les prix littéraires) me serait, lui aussi, un accessoire et un alibi, si je m'arrêtais là.

Si je m'embarque dans cette réflexion, c'est que le propos de Lucien, et plus encore cette image exemplaire et un peu agaçante de moi-même qu'il reflète, me fait prendre conscience d'une cristallisation qui lentement s'élabore en moi, depuis... mon Dieu, depuis toujours peut-être, mais dont je n'ai pris que récemment conscience. Voilà que mon lecteur, et moi avec lui, nous nous inquiétons. Tout ce préambule, ce sujet qui n'en est pas un, ces personnages-alibis... Ce nouveau roman, serait-ce un *Nouveau Roman* ? Un de ces romans sans sujets, sans personnages, sans ponctuation ?

Oh ! Si la ponctuation me gênait, ou le sujet, ou les personnages, je les balancerais bien par-dessus bord, et sans me figurer, parce que je saute les points et virgules, que je fais une révolution littéraire. Mais il est vrai qu'ils ne me gênent pas. Je vais écrire un roman avec un sujet et des personnages. C'est un vieil outil, sans doute, mais qui peut encore servir. Tout au moins, me servir. Je n'ai rien, mais rien du tout contre les nouveaux gadgets. Il y en a qui sont bien pratiques, et je les utiliserais moi-même sans scrupules, au besoin. *Au besoin,* c'est toute la question. Encore qu'on puisse devenir enragé de ne pas trouver sous la main l'outil dont on a besoin (*Finnigan's Wake,* beau témoignage de cette rage : il y a longtemps), il me semble qu'à confondre son instrument et son travail, on risque de se ruiner, comme ce personnage de Huxley, à l'achat de machines de plus en plus compliquées, et de passer sa vie à les contempler, tandis que dort le papier blanc.

Ce que j'en dis, c'est parce que n'aime pas mélanger les torchons et les serviettes : manie de ménagère, sans doute. Mais j'aime les outils, les miens et ceux des autres. Et une belle machine, bien montée, m'enchante, à condition qu'elle ne soit pas qu'une machine. Ce qui me gêne aujourd'hui, c'est d'être un peu « rien qu'une machine » pour Lucien. Machine à faire des enfants, à faire des romans, à faire la conversation selon un rite prévu. Cela n'a pourtant rien d'insultant. Je suis donc devenue bien difficile ! Car je me rappelle mon admiration un peu inquiète, enfant, devant ces grandes personnes qui semblaient toujours savoir ce qu'elles devaient faire, répondre — même, c'était la vie qui semblait le savoir pour elles, qu'elles invoquaient quand elles disaient : « Vous me connaissez, telle que je suis je ne puis accepter... » Ou : « A son âge, il n'était évidemment pas question de... » Tout cela semblait réglé d'avance, une fois pour toutes (*pour aller au mariage de Renée, je ne peux mettre que ma robe bleue*). Tout cela fonctionnait apparemment sans heurts, sans hésitations, bien huilé, bien rodé, dans le doux glissement des rouages et des paroles. Comme j'admirais cet ensemble si au point, ces mouvements auxquels répondaient d'autres mouvements symétriques, ces offenses justement châtiées (*je ne la salue plus, tu penses*), ces politesses auxquelles il était indispensable de répondre par d'autres politesses (l'expression : rendre un dîner, par exemple, me procurait une vive satisfaction arithmétique. Et « donner » un dîner, également, puisque je savais qu'en temps voulu, ce dîner donné serait « rendu »), comme j'admirais, oui, ces comptes bien tenus d'une émouvante bourgeoisie (*elle ne s'habitue pas comme elle devrait, la femme d'un Président à la cour d'appel doit...*), ces codes, ces barèmes, cette magnifique

machine à vivre.

Comme c'était attrayant, et rassurant et, tout de même, un peu ardu, un peu casse-tête pour mes huit ans, dix ans, douze ans. Il n'y avait qu'à choisir, une bonne fois, me semblait-il, et tout le reste suivait automatiquement, le costume à mettre, les paroles à prononcer. Un truc, un coup à prendre, comme pour monter à bicyclette. Mais quelque chose me disait que je ne le tenais pas, ce truc. Ce doute m'a poursuivie tout au long de mon enfance. L'adolescence avait fait perdre son importance à cette petite inquiétude modeste : il y avait tant d'autres choses à convoiter ! Et puis, tout d'un coup, à cause d'un après-midi trop chaud, d'une maison à moi, d'une accalmie dans les méfaits des enfants, d'un amour heureux, d'un roman commencé, et d'un ami pas tellement ami, après tout, je me demandais si ce n'était pas moi tout de même, cette Mallet-Joris qui, d'après les photos de *Paris-Match* et dans l'esprit de Lucien, semblait si bien l'avoir trouvée, sa machine à vivre. Pourquoi en faire une histoire, des complications ? Ecrire des romans, faire des enfants, ranimer la flamme (non, je me trompe de panoplie), ce n'est pourtant pas déshonorant ! Vaches, crêpes, épais volumes et têtes blondes : un programme pour toute la vie, une machine à rendement parfait. Un soupçon d'idéologie là-dessus pour ne pas faire trop fade... Ni déshonorant ni difficile. Une place de choix dans le catalogue.

Et même pas d'efforts à faire. Ça vient tout seul, avec l'âge, ce tour de main. Même avant l'âge, parfois. C'est tellement facile qu'on fait la queue pour y entrer, dans leur catalogue. Mais en sortir, ça, c'est une autre affaire. (Et pourquoi cette révolte ?) C'est que ça bousculerait tout.

D'abord, « ils » seraient indignés. *Nous qui avons tant fait pour elle !* Le public — mais aussi bien le quartier, la famille, le bureau —, tout un petit monde est là, prêt à s'indigner que l'on ait changé de personnage. Le tenter ? Et comment faire sans tomber dans un autre piège tout près ? Imaginons pourtant la tentative : il se peut qu'on étouffe l'affaire. J'achète une Jaguar, je me montre aux générales, j'écris un livre pornographique, rien à faire. Je resterai le symbole de l'amour maternel, la « petite bonne femme qui n'a l'air de rien et réussit les ris de veau comme personne ». On continue à photographier mes enfants, en détournant les yeux de mon décolleté, on trouve Dieu et le désespoir dans mes essais luxurieux, quant à ma Jaguar, c'est pour me rendre plus vite dans la modeste ferme normande où je passe mes vacances, de préférence au *Ritz* de Cannes qui me tend les bras. Ça dure tant que la « petite bonne femme qui n'a l'air de rien » amuse l'apprentie coiffeuse. Après, comme de toute façon ça n'intéresse plus personne, on ne citera même pas mon trente-troisième amant sud-américain.

En revanche, il est possible qu'on renverse la vapeur : chacun pratique aujourd'hui la méthode du « serpent visqueux ». « Nous l'avions toujours dit ; d'ailleurs, elle a divorcé deux fois, vous ne le saviez pas ? Les enfants ? Des accidents, sans plus. Et ils servaient sa publicité. Il n'y a qu'à voir les stars. Elles en ont toutes. On ne peut plus se passer d'un enfant, à présent, si on veut réussir. Ou alors proclamer qu'on est stérile, se faire photographier avec des bébés souriants dans les bras, le regard perdu. Mais si, ma chère, je vous assure. On les *loue*. Il y a des maisons pour ça, on me l'a juré. Elle en a trop fait, que voulez-vous. Elle a raté son coup. »

— On pourrait peut-être faire quelque chose là-dessus ? Avec un article de fond, très psychologique, très Courrier du Cœur. Comment cette mère de famille est-elle devenue une vamp ? Ça pourrait être assez pathétique, on montrerait la mésentente conjugale, le mari resté dans l'ombre, qui souffre, les enfants délaissés devant leurs trop beaux joujoux. Et on finirait sur une apostrophe émouvante, du genre : « Reprenez-vous, Françoise, vos enfants vous tendent les bras, etc. — Oui, peut-être. Si nous n'avons pas le reportage sur les insectes, ça pourrait marcher. Faites-moi un projet. »

Un projet,

il faudrait bien que j'en fasse un, moi, pour mon nouveau roman. Il y a bien des choses dont je voudrais parler, mais elles n'ont pas trouvé encore leur prétexte, leur couleur. En langage catalogué, « je ne tiens pas mon sujet ». Et ce dont je voudrais parler, je *sens* bien ce que c'est, comme je vois bien, devant ma fenêtre, ces deux champs de forme et de couleurs différentes (dont l'un s'étire contre l'horizon, pâle, tandis que l'autre, d'un ocre épais, arrive jusqu'à mes pieds en une vague carrée, robuste, frangée d'une haie d'un vert définitif) dont l'harmonie parfaite et mélancolique est impossible à rendre d'un mot ; je *sens* bien ce que c'est, mais je ne le sais pas encore. Il faut attendre, assise devant la fenêtre à petits carreaux de la chambre-grenier, que ce tourbillon s'apaise pour choisir, écarter, approfondir... Tourbillon d'images, d'anecdotes, de souvenirs, de lueurs brèves, bric-à-brac incohérent en apparence, pour moi lié par une sorte d'unité qui est ma vie même, et que je suis pour l'instant impuissante à rompre.

Impuissante, parce que justement c'est cette unité sur laquelle mon esprit s'interroge. A cause de Lucien, d'un après-midi trop chaud, de... Cette unité, *moi*, est-elle seulement artificielle ? Les trente ans que j'ai atteints cette année (ces inimaginables trente ans de l'enfance), cette maison acquise au moment du Prix Fémina (ce prix qui est lui aussi un rivage), ce métier, ces enfants, sont-ce tout simplement les rouages d'une machine à vivre, rien de plus ?

Cette inquiétude remue aussi bien des images ; il faudra attendre, attendre encore. Peu importe. Sur ce point, du moins, j'ai acquis de la patience. La maladie, si ce n'était l'enfance qui est une maladie aussi, aurait suffi à me l'apprendre. Donc des jours, des semaines peut-être, derrière cette fenêtre. Puis une image plus colorée que les autres qui surnage ; la prendre, l'étaler sur le bureau, se demander, comme de l'harmonie délicate de ce champ triangulaire, d'un jaune à peine jaune, comment la saisir avec des mots...

Faire un plan. Même pour cette réflexion-ci, faire un plan. Un plan sur la vérité et le mensonge, par exemple. Après tout, j'en reviens toujours à cela. Mais que c'est lassant ! Que c'est faux, que c'est facile, cette *spécialité*, comme les éclairs au café de Poiré-Blanche. Me revoilà en plein catalogue, en plein personnage, en plein sujet. Mais vous jouez leur jeu, ma pauvre Mallet-Joris ! « Suivez le guide » et le tour est joué, la parole est d'argent, mais le mensonge est d'or et le lecteur dûment averti par vous, par *vous*, Mallet-Joris ! cherche le mensonge à partir de la première page avec la profonde sécurité que donne la recherche de l'assassin dans un roman policier. Cela peut être n'importe qui, mais il y en a un, on en est sûr. Vous faites du policier, Mallet-Joris, vous distillez l'opium du peuple. Machine à vivre, machine à écrire : vous pouvez dormir sur vos deux oreilles. Vous avez un

alibi.

Mensonge, alibi ? Sujet, alibi ? Peut-être. Tout de même, un choix n'est pas forcément un alibi. Ne pas choisir est aussi un choix. Rien de plus subjectif que l'objectif ; ô Robbe-Grillet ; et rien qu'à cette table de cinquante-trois centimètres de côté qu'emphatiquement tu énonces, je pressens que chez toi tu portes une robe de chambre d'écarlate. D'écarlate, Robbe-Grillet ! Comme Flaubert ! Et comme Flaubert, nouvelle Bovary, cette table brune à gauche entaillée d'un coup de canif, cette table savamment impassible mais si naïve au fond, presque sentimentale, cette table, c'est toi. Et si tu te sers de la table, si tu la hantes, pourquoi ne me servirais-je pas du mensonge ? C'est un des seuls péchés qui nous restent. Les autres, les beaux péchés rouges d'autrefois, on n'y croit plus. Quelle perte pour les romanciers ! Quelle

nostalgie !

Les gens innocents, les temps innocents où l'on se damnait par passion ! J'en rêve, de ces passions, grands thèmes des prédicateurs d'autrefois. Oh ! Dieu ! Rends-nous tes grands péchés d'enfant, luxure, colère, gourmandise, et même la verte avarice, encore superbe et le front haut. Tuer pour des jouets éclatants, périr, corps et âme, dans un grand feu embrasé de désirs puérils, une femme, un trône, de l'argent, une place de garde-barrière ! L'horizon bouché, l'univers occupé par ce seul désir, cent mille francs (on les voit, on les palpe, on les mange déjà), ou l'obsession de cette femme, un sein plus petit que l'autre, un grain de beauté, ou celle d'un cheval, d'un diamant. Ce n'était pas des alibis, ces passions-là, des masques pâles en carton-pâte ! Ou du moins, c'était des alibis de bonne foi. Pécheurs, poètes et gourmands, vous voilà tous, nus devant Dieu (qui de vous s'est préoccupé d'un travestissement) et comme des enfants surpris, votre main cache ce sexe, ce foie où naissent les bonnes colères, ces tripes gonflées d'or et de mangeaille, qui ont bien joui et se tordent à présent d'angoisse. Que Dieu doit vous aimer dans votre simplicité, pécheurs ingénus des damnations médiévales ! Le corps a grossi aux dépens de l'âme : il se dégonflera aux tablées maigres du Purgatoire. Paix, paix sur les sexes et sur les tripes ; Dieu vous les a donnés, Dieu vous les a repris. Il ne s'agit plus que de faire fonctionner un peu l'autre mécanique, qui est là toute neuve, tout intacte, et n'a jamais servi. C'est toujours ça, doit penser Dieu qui regarde avec pitié les efforts minuscules en rodage.

Oui, j'en rêve, de ces péchés sans artifices, sans arrière-plan, de ces vies aux couleurs simples, fortes, de cette symbolique ingénue des blasons. C'est peut-être cette simplicité que s'efforcent de retrouver, combien laborieusement, nos hebdomadaires en couleurs ? Et les « Margaret et Tony : ça barde ! » sont peut-être, plus que des produits du monde moderne, comme dit le béret basque, des anachronismes ? Les bonnes gens disaient peut-être : « X.Y. et Eléonore d'Aquitaine, ça barde ! » Couleurs totémiques, symboles devenus creux, mangés par les fourmis du temps. Toute la différence, c'est que l'on n'y croit plus, à ces vieilles images décolorées. Façon de passer le temps, d'oublier le percepteur, de somnoler agréablement : on ne croit pas à Margaret, ni aux péchés. Et sans péchés, pas de sujet. Des péripéties, voilà tout.

Ce serait déjà une raison de parler du mensonge : c'est le seul péché qui ait prospéré. Péché par le vide : il est partout. Information, sociétés, décorations et oriflammes, prix littéraires et photographies pittoresques, chers hommes d'Etat qui se donnent la peine, cigare aux lèvres ou main au képi, d'être « populaires », une théorie de nouveaux petits dieux à tête creuse (plus légers que les anciens, comme la monnaie, il y a aussi dévaluation sur les dieux) ricanent et se logent chez nous, tout comme les lares de ces braves Romains à grosse tête. Mais déjà ils mentaient, ces Romains, si vous voulez mon avis. Avec tout ces généraux, vous pensez ! Vous y croyez, vous, à Cincinnatus et à sa charrue ? On en a tant vu depuis qui retournaient à leur charrue les poches pleines, ou attendant qu'on vienne les y chercher ! *Entretiens autour d'une charrue,* cela ferait un joli titre, et j'ai assez envie de le proposer à Lucien, qui lit Malraux. Mais il ne me suivrait pas.

Seulement lui faire comprendre que je n'ai pas une vocation de totem, quel que soit le rite dont on l'entoure. Mais on est toujours un totem pour quelqu'un. Fût-ce pour soi-même. Suis-je devenue un totem pour moi-même ? C'est la question que

je me pose aujourd'hui. Et pourquoi non ? Où serait le mal ? « Il n'y a rien de déshonorant à faire
des crêpes... »

Crêpes.

Rien. Je reviens à mes crêpes comme Lucien
aux vaches, qui sont devenues pour lui symbole
de vertu et de moralité, comme ces crêpes sont
devenues pour moi réceptacle de mensonge ou de
vérité. Crêpes fourrées en quelque sorte. Il m'apparaît évident qu'il y a quelque chose de choquant
à faire des crêpes (ou à langer un bébé ou à cueil-
lir des pommes) devant un objectif, même si mes
journées se passent dans cette occupation. Même
et surtout, je l'ai dit. Peut-être est-ce tout simplement que je manque de naturel ?
Cette question que, implicitement, Lucien me
pose aujourd'hui, voilà quelque temps qu'elle rôde
autour de moi. On n'a pas impunément trente ans,
un « métier en main », quatre enfants, une maison de campagne, et l'intention de commencer un
nouveau roman. Et d'en commencer un autre
après celui-là, et un autre encore... On n'a pas
impunément la charge et peut-être l'alibi des soucis d'argent et d'organisation qu'impliquent ces
enfants, et pourquoi pas de ses opinions politiques, religieuses, littéraires, tout ce qu'on voudra,
sans une contrepartie de questions et de doutes
qui restent dans un coin comme la correspondance

31

à laquelle il faudra un jour se décider à répondre. Correspondance avec soi-même, en quelque sorte. Jeu de mots riche de sens. Il faudra bien un jour que je me décide à me répondre. On n'est pas impunément en possession d'une machine prête à fonctionner. Un jour vient où il faut bien se demander à quoi elle sert. *Si* elle sert. Et sinon...

Nous l'avons surprise faisant à ses enfants des crêpes pour, non, les traditionnelles crêpes de la Chandeleur. Nous lui avons demandé sa recette à elle et vous la trouverez en bas de page. Pourquoi cette obsession de crêpes ? Je ne suis pas, comme on pourrait le croire, « persécutée » par les journalistes. La gloire des Prix passe vite, et seul de temps en temps un journal féminin, en mal de copie, me délègue interviewer et photographe. Mais je suis absolument fascinée par le phénomène de transmutation qui s'accomplit à chaque fois, et fait de la parole la plus simple, du geste le plus quotidien, ce subtil mensonge de papier. Manque d'innocence, sinon manque de naturel. Et cette obsession du mensonge ! Il faudrait tout de même changer un peu de sujet. Si je parlais, par exemple, du naturel ? De l'innocence ? Des anciens Grecs, de la Coré du Musée des Thermes, la terrible, la légère qui certes ne savait pas ce que c'était que le mensonge ? On ne saurait l'aimer assez, cette déesse ignorante de sa divinité, entourée de mâles aux larges épaules, à la taille marquée, les jambes un peu courtes, cette déesse souriante, enceinte de la mort. Innocente, oui, comme ces Tahitiens dont parle Fraser : un de leurs parents monté sur un palmier vient de tomber le cou rompu, raide mort, et toute la famille éclate de rire devant tant d'inattendu.

Actualité de ce thème. Nostalgie de ce rire. Mais peut-on l'imiter ? Pas plus que le geste quotidien qui perd toute signification sur cette photographie. « Beauté des forces primitives ! » s'écrient philosophes et amants de notre siècle, s'efforçant à grands coups de citations et de whisky de revenir à l'état de nature. L'état de nature, où il n'y a ni mensonge ni vérité... En réalité, c'est peut-être là mon sujet ? Du fond du tourbillon se détachent avec une singulière insistance ces grandes figures terrifiées de la Villa des Mystères. Jardin d'Eden, terreur absurde et sans pensée, ivre comme la joie, et qui est peut-être de la joie, sait-on jamais ? Sait-on encore ? On ne peut se retrouver vraiment dans le jardin d'Eden, on ne peut que fermer les yeux au monde du dehors, et fermer les yeux n'est pas être aveugle, et s'aveugler n'est pas être aveugle, se frappât-on avec un beau désespoir de poète, et au bout des doigts la broche d'or et de corail de Jocaste (je la vois, cette broche, un peu trop ouvragée, et pour tout dire d'assez mauvais goût). Jamais la volonté d'un poète n'arrivera à faire de lui un aveugle de naissance, enveloppé dans le cocon protecteur, étouffant, dans le ventre même du néant.

Pourquoi ce sujet ? Pourquoi tout à coup le nom de Georges Bataille, son Expérience intérieure, m'atteint-il comme le nom d'un parent lointain, d'un voyageur dont on est sans nouvelles et à qui on ne peut écrire, mais dont la pensée se présente de temps en temps, fugitive ? A cause de cette nostalgie, sans doute, de cette parenté de nostalgie, de cette parenté de mort, que je ressens encore comme une vieille blessure, assise derrière mes petits carreaux, dans ma maison, surveillant mes enfants dans mon champ, et ma vie à mes pieds étale comme une vague.

Nostalgie : un bouddhiste arrive, dit-on, à force d'ascèse, à rejoindre dans le tiède informel le veau nouveau-né qu'on aveugle, le veau si touchant qui tourne la tête de tous côtés et ne voit, ô poète, que le désirable néant. On sait d'ailleurs que le bouddhiste ne mange pas la viande de veau ainsi savamment préservée blanche. Mais qui mangera la chair bouddhiste, la tienne, poète-philosophe, qui dégustera ce néant amoureusement cuisiné ? Toi-même ? Du moins est-ce là ce que tu espères par tes préparatifs de gourmet. Mais le veau ne mange pas sa viande, et l'état de nature, philosophes, qu'à grand feu d'expérience intérieure vous mijotez, vous n'en dégusteriez même pas le fumet, si vous réussissiez. Fini d'être délectablement double : vous devriez vous contenter d'être *celui qui est*, de n'être pas, ce à quoi réussit fort bien l'épicier du coin, sans le secours d'aucune ascèse. Entre la lentille et le paquet d'Omo, il *est* superbement. Il est vide.

Nostalgie : enfance, néant, naissance d'une pensée, mensonge et vérité, mensonge engendrant la vérité, reconnaissant, louant la vérité, état de nature impossible à retrouver, beauté de l'innocence, adieu à l'innocence : mots abstraits, concrètes vérités, un sujet assez noble en somme. L'appréhender avec certaines précautions. Lectures préalables, cahier pour les citations, classeur peutêtre. Pas un roman, en tout cas. L'histoire de ma vie jusqu'à ce jour. L'histoire de la vie et moi jusqu'à ce jour. L'histoire de mon effort pour vivre, de ma recherche de cette aisance à vivre, de cette machine à vivre...

Trop difficile. Pas assez de lectures. Esprit trop vite lassé des mots abstraits, trop vite rassasié. Trop prompt à sécréter des images pour pouvoir suivre un raisonnement jusqu'au bout. Trop acharné à incarner chaque mot, chaque petite idée, pour aller loin et vite. Prudent, en revanche. Soupesant, reniflant chaque mot. Non, trop tôt pour écrire ce livre. Mais en partant de cette nostalgie, de ce besoin d'enfance, et de néant, et d'alibi, de l'innocence barbare et de l'absurde triomphal, ce roman, je pourrais peut-être en faire le

Portrait de Lambert.

A cause de l'état de nature, et parce que Lambert ne se lave jamais. Il n'est pas plus sale, d'ailleurs, qu'une vieille branche d'arbre tordue, pleine de terre, brisée par endroits, desséchée à d'autres.

Il ne sue pas, il mange à peine, et ses cheveux sont très blancs. Comme la vérité commence au mensonge, la saleté commence quand on se lave. Soixante-quinze ans, cinquante kilos, Lambert ne se lave pas, ne se peigne pas, n'a pas d'odeur. Lambert dit aussi, comme le béret basque : « Mais bien sûr qu'on torture des gens. Ça s'est toujours fait, ça se fera toujours. » Il n'y prend aucun plaisir. Il n'est pas sadique. Il s'est cassé trois côtes et attend, étendu, que ça se passe ou d'en mourir. Ça s'est toujours fait, les côtes cassées. Je vous dis qu'il n'a pas d'odeur. Autrefois, il s'est fait réformer. Depuis il a risqué sa vie deux cents fois. Ce n'est pas un anarchiste. Il est assez partisan d'une dictature et se trouve sans savoir pourquoi ami d'une quantité d'hommes de droite qui aiment son pittoresque et apprécient énormément en lui l'absence de pensée. Assez partisan d'une dictature, mais assez disposé à faire sauter un dictateur qui se trouverait le gêner. Il n'a aucune prétention à la logique. Il n'est pas exalté. Lambert est un industriel, de l'époque où les industriels étaient aussi des aventuriers. Cette époque mourra avec lui. Il le sait.

Lambert est assez bon, il est assez bienveillant. Il aime sa famille, il ronronne quand on lui souhaite son anniversaire. Patriarche, il est prêt à nourrir sa famille. Mais machinalement il étend la main et saisit le sein d'une de ses brus. Il approuve la fécondité mais écarte, d'un coup de patte, les enfants. Sa femme a trente ans de moins que lui. Avec beaucoup d'ingénuité, il s'efforce de pallier cet inconvénient. Il lui a donné l'habitude de l'alcool. Lui ne boit que du lait, bien sûr. Elle ne sait pas se modérer. « Elle se tuera », dit-il paisiblement. Malade déjà, elle est d'une nervosité excessive, perd parfois la mémoire. « Elle est folle », constate-t-il. Avec un sourire presque poétique sur son très beau vieux visage. « Il n'y a plus que moi qui la comprends. » Il n'y a pas trace de cruauté là-dedans. Il a trouvé la solution idéale. Elle mourra *en même temps que lui*.

Reste à savoir si elle voudra se laisser manger. Philosophe, elle consentirait avec délices à être cette séquestrée d'Altona. Le poète Georges Bataille aurait aimé être cette femme et connaître l'extase de cette *aliénation*. Ce n'est pas la règle des animaux nobles, qui ne refusent pas le combat. Avec une fureur toujours prête, Reine s'élance à la conquête de sa raison, s'ensanglante, triomphe un instant, retombe, et ne s'arrêtera que morte. Dialogue : Lambert (aux spectateurs) : « Elle est bien fatiguée, ce soir, ma pauvre Reine. Elle ne sait plus ce qu'elle dit. N'y faites pas attention. » (Elle est là, dans un fauteuil, à deux pas de lui. Cela n'est pas chuchoté hypocritement, c'est un coup porté de face, loyalement.) Reine se dresse aussitôt. Elle n'a pas cinquante ans, mais pourrait les paraître : empâtée, de belles mains, les cheveux sombres, les yeux sombres largement cernés, le nez fier, des rides sans ordre et sans ménagements la ravagent — ce n'est pas une femme qu'on épargne —, si son visage n'était constamment, à cause des feux du combat, étincelant. (Littéralement étincelant, comme celui de Jahvé, Dieu de colère, qu'on ne peut regarder en face.) « Je ne sais pas ce que je dis ? éclate-t-elle. Mais c'est toi qui n'as pas cessé depuis ce matin de me fatiguer, de m'exaspérer, tu m'as empêché de fumer chez Mme X., tu as dit en me présentant : « Ma pauvre femme », tu m'as fait boire, tu... Tu... Et c'est toi qui n'as plus su l'âge de ton fils quand on te l'a demandé ! C'est toi... »

Elle combat avec l'aveugle fureur maladroite des femelles, cherchant obscurément le point divin où ce n'est plus elle, mais sa fureur qui parle, éternelle Pythie qui balbutie des onomatopées que nul ne comprend, et qui sont la vérité. Lui fait face en silence, concentré, bandant ses muscles, frappant à coups sûrs seulement, triomphant enfin sans plaisir, paisiblement. Ce n'est pas lui, c'est un dieu qui l'a vaincue. Il n'est rien, et il est tout, faisant partie de ce dieu et n'en ayant pas conscience.

Effondrée, et ne s'entendant plus, elle plie aussi devant ce dieu. Elle combattra encore demain. Aujourd'hui, elle n'a ni dépit ni rancune. Une sorte de paix les unit. Ils sont un couple. C'est aussi ce qu'on appelle une scène assez sordide.

Joli sujet, état de nature. J'ai connu ça. Entre quinze et vingt-cinq ans, je crois bien que je n'ai pas pensé, ce qui s'appelle pensé, une seule fois. Et avant... l'enfance, ça ne compte pas, c'est une maladie. A douze ans, tout le monde réfléchit. Les parents : « Ça lui passera. » Et ça passe.

Lambert et sa femme, oui. Je les vois sous les plus vives couleurs, leurs croisements de fer, beaux comme la guerre... On est bien avec eux, d'ailleurs. Ils ne sont pas fatigants. S'ils se trouvaient obligés de vous déchirer, on se trouverait encore bien, je crois, conscient d'une nécessité impérieuse qui seule pourrait les forcer à agir, et non d'un plaisir frelaté. Les grands bourreaux sont ceux qui torturent et tuent sans plaisir et sans émotion : par nécessité. Le plaisir est déjà un remords, le remords encore un plaisir. Le général Ex, qui s'applique à lui-même une torture modérée et dit : « Vous voyez ? Ce n'est pas plus terrible qu'une visite chez le dentiste » a tort, avec son sourire Colgate, de se justifier. Il faut choisir : dans l'Eden, ou dehors.

Dedans, les généraux qui tuent sans problème, les accidents de voiture, Lambert et sa femme, les clairs enfants de la Coré. Dehors les philosophes, les généraux humains qui ont besoin de raisons (marxistes ou occidentales) pour faire leur métier d'animal, les écrivains qui se cherchent dans l'érotisme, les hommes politiques qui raniment la flamme sans se salir les doigts ; et moi. Moi, cherchant mon sujet, et que mon sujet cherche, et qui perds du temps, il me semble, à parler de

Ce n'était pourtant pas mon intention. La politique m'ennuie, surtout dans les romans. A cause des dates, d'abord, que je ne puis pas retenir. Et puis parce que ça ralentit l'action. On s'intéresse à la carrière de l'un, aux amants de l'autre, et voilà que l'auteur mal avisé se dit tout à coup : « Il faut tout de même que j'aborde les grands problèmes de mon temps. » Et il s'arrête, et nous en administre une bonne dose, de gré ou de force. Il faut bien l'avaler avant de savoir si X a hérité de son oncle, et si Y a couché avec la dactylo. Et quand tout le livre est fait de la sorte, on peut voir où ça mène : l'auteur devient ministre ! Ça a une utilité, tout de même, ces passages très actuels : ça pose un auteur. *France-Observateur* le considère, *Le Figaro littéraire* ne le passe pas sous silence, les braves *Lettres françaises* l'accusent ou le démolissent, et aucun critique n'avouera jamais qu'il trouve ça embêtant comme la pluie, et que les démêlés de Chatov (les Possédés) avec sa femme et les frasques du prince Nicolas l'intéressent davantage que la nuance exacte de leurs opinions et la forme de société qu'ils veulent imposer à la Russie. Encore Dostoïevski est-il un des écrivains qui séparent le moins possible les idées politiques de son héros de leur vie sentimentale et psychologique. Le prince Nicolas ne se lance pas dans l'anarchie pour d'autres raisons qu'il ne séduit Dacha. C. *peut-être* est anarchiste par amour de l'humanité comme par amour de l'humanité il reprend sa femme coupable. Encore n'est-ce pas clair. Mais *les autres !* Comment les distinguer au milieu du fatras qui sort de leur bouche, toujours pareil ? On dirait le même personnage qui parle, vu dans une infinité de glaces, comme ces réclames où le même sujet se répète à l'infini : un homme parlant politique en engendre un autre qui parle politique qui en engendre un autre... Non, non, il faut revenir à l'amour et aux difficultés d'argent, aux problèmes religieux à la rigueur (parce qu'il y a la damnation, qui amuse toujours). Mais l'amour surtout. Vous me direz que mon esprit de femme, incroyablement frivole... et que vous, un esprit sérieux... Mais franchement, prenons un exemple classique, si vous avez lu *La Guerre et la Paix*, de quoi vous souvenez-vous ? De Natacha. Avant tout de Natacha, parce que vous l'auriez aimée. Et puis de Pierre, qui aurait fait un ami si parfait — si Pierre avait été votre ami, vous l'auriez aimé pour son bon cœur, en riant un peu sous cape de ses idées de réforme, et en l'interrompant quand il aurait tenté de vous parler de sa loge maçonnique, pour lui vanter les charmes de votre fiancée. A la rigueur, le prince André vous aurait paru bien dur avec sa femme, et vous penserez qu'on s'attendait bien à cela de la part de ce réactionnaire. Ou alors (selon votre femme et vos opinions) vous approuverez son goût de la *grandeur* et vous vous direz que ce sont bien là les femmes, toujours à couper les

ailes aux chimères... N'est-ce pas, lecteur de Montherlant ? Mais je suis prête à parier que Montherlant lui-même n'a parcouru que d'un œil distrait
les dernières pages sur Napoléon, le destin, les
grands hommes, toutes ces idées non pas tellement fausses, mais mortes, que Tolstoï ressassa
pendant dix ans dans des salons provinciaux, avant
de se mettre à réparer ses souliers lui-même... Et
Martin du Gard ! Quelle « œuvre estimable » !
Quel « noble renoncement au monde » ! (Voir *Le
Figaro littéraire*, toujours prodigue d'admiration
pour le détachement. Mais est-il sûr, absolument
sûr, que tel petit journaliste crasseux, au sourire
insinuant, au manteau râpé, persécuteur de B.B.
et collectionneur de ragots, ne renoncerait pas no-
blement au monde si on lui offrait un château
près de la forêt de Bellème ? Et ne se mettrait
pas, pour notre ennui et sa plus grande gloire, à
nous donner un Eté 14 encore plus copieux ?)

Remarquez qu'il y a des gens qui aiment ça.
D'autres aiment lire les journaux. Moi aussi, j'aime bien les journaux, surtout ceux qui sont de
mon avis, comme tout le monde. Mais c'est la tentation, le péché, ces choses-là. Aussi, en veine d'ascèse, je lis *Le Monde,* et délaisse, avec quel regret,
les crimes attirants de *France-Soir* et les indignations de *L'Express*. Non qu'elles ne soient pas jus-
tifiées, ces indignations. Mais pour être pure, l'indignation ne doit pas prendre plaisir à elle-même.
Elle doit être une souffrance, non un plaisir. Lire
un journal de son opinion, si l'on n'y cherche pas

d'informations, mais seulement l'écho de sa propre colère, est un plaisir de concierge. « Et si vous saviez comme il a souffert ! Le sang, il le crachait par baquets, madame, par baquets. » Pour beaucoup, la politique est un plaisir de cet ordre. Que feraient certaines gens s'il n'y avait ni nègres mis au ban de la société, ni juifs persécutés, ni enfants martyrs, ni prisons et taudis insalubres ? Et c'est justement dans la mesure où nous aimons les juifs, les nègres, les enfants, que nous haïssons qu'ils servent de prétexte à cette *masturbation mentale*. Car c'est bien cela. Et cela, c'est aussi de la politique. Pourquoi n'en parler jamais ? La politique, c'est aussi le complexe d'infériorité du cocu, l'alibi du timide, le sexe de l'impuissant, la maîtresse du solitaire. Comme ça, c'est intéressant. Comme ça, on peut en parler. Mais pas comme d'un objet. Pas comme d'une spécialité, d'une chose *à part*. Rien n'est à part, rien n'est clos.

Ne fermons pas les portes, ne statufions pas les vivants ; une statue, c'est bien joli, mais un oiseau aussi c'est joli, non ?

Statues.

Mensonges, si vous voulez. Mais le mensonge est des deux côtés, est de tous les côtés. Marcel à qui je parlais avec un certain goût d'un poème de Valéry (Marcel : un peu anglomane, très maigre, oisif occupé, se voudrait flegmatique ; mais ne résiste pas au plaisir d'un bon mot « qui déplace les lignes », d'une explosion pittoresque, savamment calculée. La Résistance lui a pris sa santé et son jugement. Parce qu'il a passé trois ans dans un camp de concentration, il se croit dispensé de penser jusqu'à la fin de ses jours), Marcel me répond : « C'était un antidreyfusard. » Voilà l'objet, pour lui à jamais immobile, figé, vu de profil sur une carte postale, et il ne se donnera jamais la peine de tourner autour. Pourquoi serait-ce à lui de se déranger ? (Note : à la moindre objection, il tire de ses poumons malades un long sifflement. La maladie aussi est un excellent alibi.) Il y a des gens qui disent ainsi : « C'est un communiste. C'est un nègre. Ces catholiques... Ce genre de type... » Ces classifications sont bien rassurantes. Comme celle du petit vieux à béret basque, tout à l'heure. Elles ne sont pas fausses. Elles ne sont pas vraies non plus. Il y a de vieux cons, des antidreyfusards, des communistes, des curés... Mais ce béret basque, cette soutane, ce drapeau rouge, quand c'est *toi*, ô le plus irremplaçable des êtres...

Alex, qui fait profession de cynisme et déteste toute admiration qu'il tient pour duperie, me disait un jour à propos de Garcia Lorca, avec une sorte de haine joyeuse : « Mais tu ne sais pas, Lorca ? C'était un pédéraste ! » Encore une vue bien fragmentaire. Vue de dos, aurait-il dit, ne reculant devant aucune facilité. Il est bien certain qu'un mensonge des plus déplaisants con-

44

siste à ne nous laisser voir les grands hommes que de face, et en buste. L'antidreyfusard Valéry explique bien Valéry le poète, si vite et de façon suspecte devenu gloire nationale, si vite et si suspectement classique, et les paroles au fronton du Trocadéro. Quoi de plus antidreyfusard, quoi de plus « patriotique » (sans même qu'on soit obligé d'en appeler à Gallieni tout proche) ! Mais tout de même, le poète Valéry explique aussi, humanise et, *dans une certaine mesure,* justifie l'antidreyfusard. On pardonnera de n'y pas voir à un myope, mais un myope se servira aisément de sa myopie pour vous heurter, et, clignant des yeux plus que de raison, montera devant vous dans l'autobus. Faut-il accuser la myopie, le sans-gêne, ou l'autobus ? (De même, on aura remarqué, alibi-vieillesse, alibi-maladie, la férocité des vieilles dames aux cheveux d'argent, au cabas modeste, qui se glissent avec une souplesse féline en dépit des rhumatismes, entre vous et le guichet de la poste. Et gare si vous osez protester !) Et, bien sûr, Lorca-la-victime était pédéraste, trop de jasmin dans ses vers en témoigne, trop d'étoiles, trop de jeunes toreros verdissant dans l'aube en une mort voluptueuse. Mais aux garçons de café, aux agents de police, auxquels peut-être son vice (vice de fabrication, dirons-nous pour ne porter nul jugement) l'obligeait à recourir, tant de jasmin, d'olives et d'aubes pures n'attachent-ils pas une étiquette elle aussi bien conventionnelle ? *Verde, que te quiero, verde...* J'aime bien la poésie. Il y eut un temps où je ne l'aimais pas, à cause de la façon dont on s'en sert. Mais oui, on se sert de la poésie comme on se sert de tout. Et s'en servent surtout ceux qui prétendent la laisser libre.

L'homme que j'ai connu qui parlait le mieux de poésie était un jeune homme « de bonne famille » travaillant dans un journal spécialisé dans la diffamation sous un voile de catholicité, vieille-France, poule au pot, ah ! la divine modération de notre race. On voit le genre. Cela aussi, d'ailleurs, ce n'est qu'une étiquette, et en général les employés subalternes étaient des convaincus d'A.F., confits en réelles vertus, et appréciant la bonne cuisine. Remarquez bien, lecteur indigné, que cette étiquette n'est ni plus ni moins valable que celle des masturbés mentaux de gauche de la page précédente. Il faut bien que je me les mette tous à dos, sans cela ce ne serait pas drôle. Et pour commencer mon ami

Luc.

Il me plaît bien, mon ami Luc. Il a un physique amusant, l'air de sortir à peine de l'âge ingrat, immensément grand, les cheveux clairs, clairs (peut-être une exigence raciale de son journal ?) et ébouriffés, des yeux marron, très doux, un sourire vraiment charmant, et de longues mains osseuses qui caressent aussi les informations, les charment, les flattent, si bien qu'elles y prennent un poli, un baroque tout à fait étranger à l'*Agence France-Presse*. Il vient nous voir, mon ami Luc, avec beaucoup de gentillesse, car nous ne sommes pas le genre de couple chez qui il va dîner, d'habitude. Il est un peu snob, replie ses longues jambes sous des tables ducales, s'habille avec un négligé très étudié, aime allier le mauve éteint d'un gilet à un costume de velours vert, presque un costume de chasse. (Je signale aux malveillants qu'il est marié et père.) Il a trente-deux ans et un bel avenir dans le journalisme, dit-on. Je ne sais pas trop ce que cela veut dire.

Il vient donc nous voir par amitié. Il nous trouve pittoresques. Nous écartons de lui nos enfants trop familiers, et il consent avec une bonne grâce de touriste décidé à tout supporter des inconvénients de la « couleur locale », à manger des macaronis. Il ne pourra pas pourtant aller jusqu'à supporter notre électrophone. Il ne les aime que stéréophoniques, il est très difficile, il ne supporte pas le moindre craquement... « Et je suis sûr que vous prêtez quelquefois vos microsillons ! Ah ! folie... » Cela aussi fait partie de notre pittoresque. Nous faisons pour lui partie de ces « petites gens » qui lisent son journal et au bénéfice desquels il exerce son travail de polissage. Mais il ne se contente pas de l'amusement nietzschéen de se sentir surhomme parmi des sous-amis. Généreusement, délicatement, il déploie pour nous des soieries, écarte des estampes, nous offre ce que son esprit a trié de plus fin, de plus savoureux. Il libère les ailes de la poésie qui jamais n'a mieux pris son vol, viré de l'aile, étincelé, inutilement, dans un ciel radieusement inutile. *Verde, que te quiero, verde... Et les belles écouteuses... Midi le juste. Le lait plat...* Jamais l'oiseau libre n'a paru si libre, jamais le moindre de ses brusques virages savamment maladroits n'a été ainsi deviné, ressenti. Nous en sommes charmés, la tête en l'air. Mais l'oiseau vole toujours, ivre *d'être parmi l'écume inconnue et les cieux*, tandis que cet homme dit :

— Et n'est-ce pas merveilleux d'être la vérité pour tant d'êtres ? Il n'y a personne que j'admire comme mon « patron » — au sens romain du terme. Une brute, bien entendu, Caliban, avec la puissance de Prospero ; il lui prend fantaisie de vous décrier, vous ou une autre, tenez, Françoise Sagan. Il n'aime pas ça. Il est travail-famille-patrie, vous savez, merveilleux, il ne doute de rien. « Est-ce que nous ne pourrions pas dire qu'elle est juive ? » Et s'il le disait, c'est merveilleux, elle le *serait*, vous savez !

C'est une idée poétique, en effet, brillante comme l'oiseau qui vole, qui trille, qui s'élance sans que jamais cet élan n'aboutisse... C'est une idée qui donne envie d'abattre cet oiseau. Mais l'oiseau n'y est pour rien. Ce ne sont que nos yeux éblouis qui ne voient pas, dans l'air, ce que nie sa trajectoire. Ce ne sont que les yeux de Luc, qui ne voient pas où va cet oiseau, qui lui refusent d'aller quelque part. « Comme tous les grands bouchers de l'histoire, Tamerlan protégeait les arts. » (Moravia.) Il faut aimer la poésie, quand même. Elle non plus, elle n'est pas

                                                    à part.

Je me souviens d'un déjeuner-chez-mon-éditeur où j'étais assez empêtrée de moi-même, m'embarrassant dans les fourchettes, renversant mon verre, et répondant à des questions qui ne m'étaient pas posées. Jean-Louis Barrault et Madeleine Renaud, qui se trouvaient là, m'encourageaient de leur sympathie, une sympathie vraie, sincère, chaude, dont je leur sais toujours gré. Une sympathie, tout de même, qui pensait, et qui était satisfaite de penser : « Ah ! C'est bien l'écrivain... Ses ailes de géant l'empêchent... »

C'est une idée qui plaît. C'est le grand plaisir de ceux qui vitupèrent les *intellectuels*. Que les intellectuels rédigent des essais, que les militaires fassent la guerre, et les vaches... A propos, qui gardera les vaches ? Avec l'abandon de la terre... Voilà encore un beau sujet d'actualité.

« Ses ailes de géant », oui. C'est bien commode pour ceux qui marchent, eux, et en profitent pour tout organiser comme ils l'entendent. « Ah ! C'est bien l'écrivain... » Combien de fois cette phrase n'a-t-elle pas retenti, plus ou moins enrobée dans le sucre des flatteries, aux oreilles de l'écrivain qui tente de s'occuper d'autre chose ? « Ce sont des vues de l'esprit », dit-on aussi. L'existence elle-même est pourtant une vue de l'esprit. Chacun son métier. Notre métier à tous est pourtant de vivre. Mais on ne nous en demande pas tant. Seulement de figurer dans la parade, avec le costume du métier, avec l'emblème du métier, avec le nom du métier bien lisiblement écrit sur la poitrine, et défense d'en changer, comme à la Sécurité sociale.

C'est joli, d'ailleurs, c'est pittoresque. Au musée de Gand, un très joli musée folklorique, une salle contient justement ces emblèmes des métiers, que chaque corporation portait devant elle dans les processions. Au bout d'une hampe, un grand sujet de bois sculpté et peint, représentant l'artisan à son métier. Le tisserand tisse du vide, le tonnelier cloue du vide, l'orfèvre fignole de la poussière. Ces sujets sont de petites merveilles de délicatesse, et mon béret basque qui vient de les voir s'extasie : « Ah ! Les artisans de ce temps-là ! C'est alors qu'on savait travailler. De nos jours... » (Généralement, la conversation bifurque sur le plombier qui n'est pas venu jeudi, ou s'élève en considération sur les congés payés.) Le béret basque admire les couleurs fanées par le temps (il y a gros à parier que le béret basque d'il y a trois siècles les trouvait abominablement vulgaires — révolutionnaires, peut-être ?). Le béret basque fait remarquer à ses enfants, ou à ses élèves qu'il amène au musée le jeudi, la finesse du travail, l'exactitude avec laquelle sont rendus les outils du for-

geron, du menuisier, et la reproduction minuscule
et minutieuse de l'Hôtel de Ville du xvᵉ siècle, auquel il ne manque pas une tuile. Il n'y a qu'une
chose qu'il ne voit pas, le béret basque. C'est que
le petit forgeron au tablier de cuir, le petit hor-
loger à la loupe, le petit menuisier au rabot n'ont
pas de visage. C'est la même tête simplifiée, ovale
rasé incrusté d'un grand nez, fendu d'une bouche
che droite, et taché de noir à la place des yeux,
qui a servi pour tous. Et on imagine bien le petit
écrivain du xxᵉ siècle, en acier chromé — il faut
marcher avec son temps —, assis devant une table
de café à laquelle ne manqueraient même pas
les brûlures de cigarettes, tenant un Bic d'époque,
portant des lunettes Sol-Amor, mais surmonté d'un
ovale où même le nez fragmentaire, la bouche insi-
gnifiante seraient supprimés. Le progrès nous le
permet. Et que l'oiseau s'élance dans le ciel, s'écrie
Luc dans une belle envolée. Et qu'il y reste, ajoute-
t-il sous cape. Tout le monde est d'accord, même
France-Observateur qui prône les écrivains d'avant-
garde et de l'absurde, même la peinture engagée
qui nous montre les loyaux ouvriers, syndiqués,
et l'infâme soldat américain avec le même ovale,
à peine retouché, dans le second cas, d'un rictus.
N'est-ce pas, Fougeron ?

Tous d'accord, vous dis-je.

J'aime bien les expressions toutes faites. Même
quand elles ont tort, elles sont bien significatives.
« Faire le jeu de la réaction », disent les uns.
« Faire le jeu des communistes », disent les autres.

Mais est-ce que nous n'avons pas passé l'âge de jouer ? Et cet échiquier sur lequel nous avançons nos pions-civilisations, et, chacun, les camps de concentration des autres, est-ce que nous ne le renverserons pas ? Jamais, jamais, est-ce que nous ne renoncerons à ce jeu qui nous dispense de vivre, et dont chacun a, dans sa poche, le petit matériel portatif ? Ce sont les amis, ce sont les hommes d'affaires, ce sont les couples : au moindre incident, l'échiquier ressort. Je ne ferai pas son jeu, et on avance un pion. Il ne respecte pas les règles, tant pis pour lui, et on se lance dans la bagarre. Quand les couples en sont là, comment les peuples iraient-ils mieux ? Les couples sans visage, les peuples sans visage. « Ma femme est... J'ai tout de même le droit... », « Les Allemands ont osé... On ne peut pas tolérer... » Bien sûr, nous avons le droit, On ne peut pas tolérer cela ! quand on joue, il y a des règles ; mais quand on ne joue pas ? Et quand cette femme, ces Allemands, ce métier, c'est toi, le plus irremplaçable des êtres, tu *leur* vois un visage quand même ?

Tous d'accord. La concierge et le journaliste, sans compter l'éditeur bienveillant. « Ne vous occupez pas de cela, mon petit. Travaillez tranquillement, sans soucis matériels. Je me charge de tout. » Ils se chargeraient bien de votre âme, s'ils supposaient que vous en ayez une (mais ils sont trop bien élevés). Remarquez que je ne dis pas cela pour le mien ; enfin, pas plus pour le mien que pour les autres. Pas plus contre

Ils sont bien plus modestes, au fond, qu'un tas d'épiciers glorieux de leur D.S. et que bien des petits professeurs de latin mal lavés qui défendent avec aigreur les valeurs spirituelles. Leurs digestions difficiles leur rendent accessibles des plaisirs de mélancolie qui ne sont pas sans poésie. Leurs téléphones blancs, d'où leur parviennent des voix mexicaines ou chiliennes, comme la lumière des étoiles mortes, leur rendent accessible la relativité des choses. Leur lourdeur physique, leur maladresse (avez-vous observé déjà un *grand patron* qui a laissé tomber son stylo s'efforcer, en l'absence de sa secrétaire, de le ramasser là où il est tombé, sur le tapis épais, derrière l'imposant bureau ? Et se redressant, hors d'haleine, empourpré, frottant ses lunettes, patient pourtant, doux, et toujours prêt à vous répéter jusqu'à l'épuisement, des arguments qui ne vous convaincront ni l'un ni l'autre ?), leur maladresse, dis-je, leur enseigne la patience, douces baleines à lunettes, grands morses à demi étouffés dans la graisse, phoques aux yeux globuleux échoués dans l'acajou et les tableaux modernes... O race des Barnabooth parvenus à la maturité, race vilipendée, maudite, décriée même dans le feuilleton du *Figaro*, que vous parcourez cependant, résignés, race sans méchanceté, sans haine sauf quand vous touche l'aile de la peur (encore est-ce à regret que vous renvoyez ce chef de bureau-meneur ; dans l'intimité, vous lui serreriez bien la main, vous que *L'Humanité* représente l'insulte à la bouche, en même temps que le cigare — que votre cœur fragile vous interdit de fumer), race sans illusion qui aime les poètes et la nature bien plus que le petit-bourgeois dans son pavillon de Nanteuil, condamnés par l'inquisition littéraire, je n'ajouterai pas une brindille aux fagots que l'on entasse à vos pieds. Je ne décrirai que vos yeux, pleins de la triste assurance d'être à jamais combustibles.

Un jeu.

Me voilà chez l'un de vous, producteur de cinéma pour tout dire, qui veut me faire faire un dialogue de cinéma. Il est d'accord, parce qu'il croit, pour quelques semaines, aux « films de jeunes ». Je suis d'accord parce que je crois que ce film meublera ma maison de campagne. J'ai dit mon prix au metteur en scène, il a transmis et m'a retransmis un accord. Il suffirait donc de se serrer la main (pour le *contact humain*) et de signer. Mais non. Il faut jouer le jeu. Mon producteur arrive en retard. Moi (qui l'avais prévu) un peu plus en retard. Un point pour moi. Il attaque brusquement.

— Je dois vous avouer, chère Mademoiselle, très franchement (si le mot « franchement » ou « sin-

cérité » n'est pas prononcé dans les dix premières
minutes — ou alors « Parlons sans détour » —
vous n'avez pas en face de vous un vrai homme
d'affaires, et assurément il fera faillite : méfiez-
vous), que jamais je n'ai entendu votre nom.
Quand notre metteur en scène a pensé à vous pour
ce travail, parlons sans détour, je ne vous connaissais pas.

Je rougis malgré moi. Un point pour lui. Il
le sent et continue avec patience son discours.
Donc, au lieu de recourir à l'obscure Mallet, il aurait pu, certes, avoir recours à des noms illustres,
garantie de succès et de prospérité : Jeanson, Au-
diard... Mais il n'est pas de ceux-là qui se con-
tentent des sentiers battus. *Audaces fortuna juvat !*
(Je m'incline en le remerciant d'un sourire de cet
hommage à la littérature. Courte trêve. Deux Oc-
cidentaux conscients et organisés se saluent.) Certes, il risque gros. Il me décrit avec un réel talent
la moue des vedettes : « Qui est cette Mallet ? »,
la terreur des distributeurs (une troupe) qui s'af-
folent : « Mallet ? Keksessa ? Vous perdez la tête,
Monsieur X ! » Mais comme tous les gens doués,
son talent le domine. Il chevauche un Pégase financier qui l'entraîne au-delà des contingences
trop étroites de la vraisemblance. Déjà, il se ruine
pour moi, je deviens le grain de sable qui le réduit
à la mendicité, lui et son *équipe* ; je suis sa coû-
teuse fantaisie, une croqueuse de diamants, une
Otéro. Dans un moment, si je n'interviens pas,
accablée sous le poids de ma culpabilité, il va me

parler de ses quatre enfants, à moi qu'il appelle mademoiselle et qui présente pourtant à ses yeux un glorieux ventre de six mois. Mais quelques débris de gloire restés à mon compte en banque me donnent une attitude royale. Je comprends trop bien ses raisons. Bien entendu, quand il n'a que le choix entre d'aussi grands spécialistes, je ne voudrais pas m'imposer. Puisqu'il en est ainsi, évidemment... Je crains de m'être trompée sur les propos du metteur en scène, un peu trop optimiste, mais je suis très heureuse d'avoir fait sa connaissance... Je me soulève du siège trop profond, où d'un geste de stupeur il me rassoit. Un point pour moi.

Quoi ! Comment puis-je croire !

Ses cheveux se dresseraient sur sa tête s'il connaissait ses classiques, tant il est horrifié. Lui ! Revenir sur sa parole ! Car c'est bien sa parole qu'il a engagée au metteur en scène. Je ne le connais pas ! (C'est bien mon tour.) Sa réputation dans le monde des affaires... Son intégrité... Il y a des requins dans cette profession, mais je n'ai pas affaire à un de ceux-là. Quoi qu'il puisse lui en coûter, il faut bien que je le sache, sa parole vaut un contrat. (Vague inquiétude en moi. Va-t-il me demander de me passer de contrat à la faveur de cet incident ?) En veux-je la preuve ? Qu'est-ce que je lui demande pour ce travail ? Oui, mon prix ? Parlez hardiment. La surprise me fait hésiter un moment. Et puis il y a cette stupide pudeur... Un point pour lui.

Eh bien (après un léger froncement de sourcil, et notez bien les points de suspension), eh bien... d'accord. Il ne discute pas, il n'ergote pas. Il n'avait pas pensé donner plus de la moitié à un auteur qui, en somme, débute dans le cinéma. Mais je lui suis sympathique, il se fie volontiers à ses intuitions, il sent d'ailleurs que seule une femme peut rendre l'*ambiance* qu'il veut pour son film, bref, c'est fait, tope là, tirons un trait, n'en parlons plus, il espère qu'il ne fait pas une folie, il espère que nous saurons justifier sa confiance, il espère, il espère... Avec la même ardeur qu'il a mise à me décrire sa ruine, il me dépeint les prospérités auxquelles nous accéderons, le metteur en scène et moi, si nous savons « en mettre un coup ». Il me voit en Jaguar, une cigarette aux lèvres, fendant la foule de mes *fans* : « La publicité du cinéma, vous savez, c'est autre chose que les bouquins ! » ; l'or coule à flots sous mes pas (celui des autres producteurs) ; j'achète une maison de campagne (J'en ai une ? Où ça ? En Normandie ! Mais j'en aurai une dans le Midi, à Saint-Tropez, à Antibes !). Je fais deux scénarios par an, et je vis sur un pied de...

Assurée que l'affaire est faite, je prends une cigarette et un air de suprême détachement : « Oh ! Je ne tiens pas du tout à faire tant de cinéma ! Ce scénario-ci m'a énormément plu par son côté... » (A varier, selon le producteur, mais ne pas choisir un auteur trop obscur. On peut aller jusqu'à Stendhal. On peut dire aussi, d'un air gour-

met : « Il y a quelque chose, une atmosphère... »
Ce vague fait très technique.) « Mais un travail
pareil tous les deux, trois ans, cela suffit, oh ! am-
plement ! » « Pourquoi ? » dit-il, décontenancé.
(Un point pour moi.) Je suis un écrivain, n'est-ce
pas ? C'est là mon véritable travail. Et le travail
de cinéma m'absorbe complètement, là, complètement. Je ne suis pas de ces auteurs qui expédient
ce travail en trois jours, sous prétexte qu'il n'est
pas vraiment littéraire, qu'on fait avaler n'importe quoi au public. (Ah ! tu ne me connais pas !)
Je ne méprise pas le travail de cinéma. Je le considère comme aussi valable qu'un autre, et il peut
être sûr...

Ah ! n'est-ce pas, cela va bien marcher ? (Là, il
est vraiment touchant.)

Sa chaleur est contagieuse. Moi aussi, je le souhaite tout à coup avec beaucoup de feu. Après
tout, il est plus agréable de faire du bon travail
que du mauvais. Un courant de sympathie passe.
On apporte le contrat. Il était tout prêt. Nous si-
gnons, contents l'un de l'autre.

Mais pourquoi, Seigneur ! Pourquoi, pour qui ces
balles échangées « sans résultats » comme dans les
duels mondains ? Voilà un brave homme, un peu
court de taille et d'esprit, des yeux bleus, un visage
honnête, rougeaud, pas méchant pour un sou, qui
fait fructifier son argent pas plus mal qu'un autre. Je ferais bien de même, moi, si j'avais de
l'argent à faire fructifier. Alors ? On pourrait s'entendre. Il sait, aussi bien que moi, que le prix

que je demande n'est pas excessif. Je sais aussi bien que lui qu'un écrivain est toujours enchanté de faire un travail facile et bien payé, qui ne lui prendra que deux mois et meublera sa maison de campagne. Alors, cent fois alors ?

Il faut jouer le jeu. Il faut que certains mots soient prononcés. Il faut qu'ait lieu, entre l'éditeur et l'écrivain, entre le producteur et le scénariste, entre le marchand et le client, entre l'amant et la maîtresse, entre l'homme politique et l'électeur, cette danse rituelle semblable à celle des oiseaux en mal d'amour, des sauvages en mal de pluie, cette parade nuptiale, cette danse de guerre, même si le mariage, si la guerre sont décidés ou même finis depuis longtemps. Et on entre dans le jeu malgré soi, on fait face. « On ne va tout de même pas supporter... » Tous dupes de la politique de grandeur. Tous incapables de prendre le taureau par les cornes, et de sortir du cercle.

Tous, et moi. Car enfin, je pourrais lui dire, à cet homme qui m'est plutôt sympathique, à mon éditeur qui est charmant et au plombier qui m'installe une douche (« Ça ne va pas être simple, vous savez ! Avec ce carrelage, il y a un de ces boulots ! ») : « Franchement, tout cela est inutile. Ou nous sommes d'accord ou nous ne le sommes pas. Pourquoi tenter de me faire valoir des avantages imaginaires, alors que si j'accepte le marché, c'est que j'y trouve un avantage réel qu'il est inutile de me faire valoir. Je ne suis pas dupe. Vous ne l'êtes pas non plus. A quoi bon, mon

Dieu, à quoi bon ? Prendre un avantage, faire croire que c'est l'autre qui gagne plus que vous... » Et si c'était pour gagner plus d'argent. Mais non, ce n'est même pas pour cela. C'est pour passer le premier dans la porte, pour collectionner cette reconnaissance forcée, cette considération forcée... « Je ne le saluerai pas le premier. » Et ils préfèrent vous faire cadeau d'un million qu'ils ne vous doivent pas que d'un franc qui serait une dette.

Dans un film nègre, je vous vois, capitalistes mes amis, arriver au Paradis malgré tout, et dire à saint Pierre dont la bedaine vous semble parente de la vôtre : « Bien entendu, je vous fais confiance. J'entre ici les yeux fermés, sans discuter. Je m'attendais à tout autre chose, je vous le dis très franchement ; on m'avait fait des offres bien supérieures, enfin, je ne veux pas discuter, je prends tout en bloc, je me fie à mon intuition. Je vous fais confiance. Et je crois que vous ne serez pas mécontent d'être épaulé par des hommes de mon acabit, hein ? Allons, vous pouvez compter sur moi ! » Capitalistes, mes amis, peut-être irez-vous au Paradis quand même ?

Paradis.

« Le Paradis, disait mon petit garçon, Daniel, fort réfléchi pour son âge, c'est le même pour tout le monde ? Pourtant, tout le monde n'a pas les mêmes goûts... » Et il ajoutait, sagace : « Il y a là quelque chose qui cloche... »

60

C'est ce qui me gênait un peu dans le souvenir de mon entrevue (comédie cent fois répétée) avec le producteur. L'enchaînement était parfait, la règle du jeu, simple, le texte aisé à retenir. Mais il y avait quelque chose qui clochait. Ce jeu n'était pas valable partout, avec tout le monde. Il y en avait une infinité d'autres, en apparence aussi simples et aussi légitimes, mais auxquels on ne pouvait se fier une fois pour toutes. Tout le monde n'a pas les mêmes goûts. On n'a pas les mêmes goûts, on n'est pas le même avec tout le monde. J'avais le vague sentiment de n'être pas au point. Ces rafistolages, ces réglages minutieux selon les circonstances, l'heure et le costume, ça ne m'allait pas. Manque de souplesse, sans doute. Typiquement germanique, ce sérieux. Manque d'humour, goût de l'ordre, goût de l'ordre surtout, qui commence à celui des additions et s'étend à l'ordre du monde. Et les citations d'abonder : « Une injustice vaut mieux qu'un désordre. La bonne littérature ne se fait pas avec de beaux sentiments. » On cite à faux d'ordinaire, de *bons* sentiments, mais on se trompe.

Deux citations qui se valent et auraient plu, sans doute, à Tamerlan. On l'imagine dans *son* Paradis, lui aussi, coupant une tête qui dépasse, de temps en temps, entre deux poèmes et une danse du sabre. C'est pourtant vrai que c'est surprenant, cette unicité que l'on suppose au ciel et que ces peintres médiévaux qui ont imaginé pour l'Enfer une telle variété de supplices, parmi lesquels on n'a que le choix, ne nous offrent du Paradis qu'une image stéréotypée, des anges asexués et des prés en fleurs identiques, sans songer qu'on pourrait avoir des rêves plus robustes que le Paradis rose et bleu de Jérôme Bosch. Mais les petits paradis séparés comme des cabinets particuliers, pour poètes non engagés et héroïques coupeurs de têtes, là aussi, il y a quelque chose qui cloche...

Lambert, Tamerlan, Luc, mon producteur et la vérité, ça ne fait pas un sujet de roman. Mais ça a peut-être, tout de même, un rapport avec le roman que je voudrais écrire ? Avec le choix de ce sujet, et le choix de cette vie à mes pieds complaisamment arrêtée, un instant ? Luc me dirait que non, et Tamerlan. Et on le ferait dire à Gide, et Goethe hocherait sa vieille tête de momie. Aucun rapport. Aucun. Peut-être. Ce serait bien commode. Tout bien en ordre, classé et cadenassé. Les beaux sentiments ici, là les poèmes, et au bout, le rayon des têtes coupées : les Galeries Lafayette, image du monde. Chacun son rayon, sur la terre comme au ciel. A noter pourtant que même Gide, édifiant démon (relu ce matin Shakespeare pendant deux heures. Puis travaillé la sonate en si. Cet après-midi, refaire si possible un peu de grec), n'a pas opposé à son Robert, l'homme des beaux sentiments, une romantique anarchie, mais deux figures de femmes qui n'ont rien d'échevelé. (Et même, quoi de plus sérieux, de plus vertueux, que Geneviève, la jeune fille affranchie ! Avec quelle gravité elle est féministe ! Avec quelle solennité elle s'offre au Dr Marchand ! Rien de moins érotique, il faut bien le dire. Comme on comprend l'hésitation du bon docteur ! Il n'est pas tenté pour un sou. Peut-être aussi Geneviève en est-elle encore par trop à l'âge des mauvaises couturières, des gestes gauches et des boutons ? Quel est le rôle de l'acné juvénile dans ce noble refus ? Mais ceci est une autre histoire.)

Quel auteur génial que Kipling ! On n'a jamais rien dit qui vaille cette simple phrase : Ceci est une autre histoire. Toutes les histoires nous entraînent vers d'autres histoires, et il faut avoir la sagesse de s'arrêter. Qui sait pourtant, si nous en suivions le fil capricieux, si ces autres histoires ne nous mèneraient pas au but aussi sûrement que le plan le plus strict, le projet le mieux arrêté, et si toutes ces autres histoires n'en formeraient pas une seule, la seule ?

Cette idée m'encourage à choisir un sujet, un mode de vie. Cela aura peut-être un rapport, après tout. Nous verrons bien. Il y a des gens qui l'établissent si aisément, ce rapport. Il faut avouer qu'en général, cela m'exaspère. Peut-être que je ne sais pas ce que je veux. Mais quand le « grand écrivain chrétien » déclare dans une interview, qu'il « n'a pas écrit tout ce qu'il aurait écrit s'il n'avait pas été chrétien », cela m'amuse et m'exaspère en même temps. Comment peut-il savoir ce qu'il aurait écrit, s'il avait été un autre ? Il n'est donc pas si convaincu que cela, qu'il puisse si aisément sortir de sa conviction ? Et comme cela excite la curiosité ! On voudrait bien savoir ce qu'il a mis de côté. En murmurant peut-être, comme Kipling : « Mais ceci est une autre histoire... »

Il faut avouer qu'on aimerait la connaître, cette histoire. Sa foi lui paraît donc si peu universelle qu'il craint pour son rayonnement la présence de quels objets ? Mais non, nous avons tort de le suspecter. Il craint simplement, par une peinture trop alléchante du vice, de lui attirer des amateurs. De faire de la réclame pour le magasin d'en face, en quelque sorte. Pour lui, la bonne littérature, c'est celle qui inspire de bons sentiments. Non ? Peut-être n'est-il pas très fixé, au fond. Dans le doute, abstiens-toi. Et il s'abstient. De quoi ? On ne le saura jamais.

Et vous ? Vous êtes fixés ? Vous êtes pour la libre poésie, le libre roman, la libre peinture, comme mon ami Luc, et Tamerlan ? Vous êtes contre les beaux-sentiments-mais-pas-les-bons et vous faites du grec l'après-midi ? Ou vous êtes avec l'écrivain catholique, vous retenez la brillante peinture du vice toute prête à s'échapper de votre plume, renonçant héroïquement, qui sait, peut-être au Prix Goncourt — à propos, pourquoi êtes-vous si sûr que le vice soit alléchant ? Mais peut-être un jour, avec Mme de Beauvoir, vous tremperez la main dans une source, et vous perdrez la foi. O Dieu ! Avez-vous donc créé les fontaines pour la perdition d'une femme aussi sympathique que Mme de Beauvoir (j'espère au moins qu'elle s'est baignée tout son saoul depuis ce jour), comme vous avez fait les accidents de voiture pour convertir Pascal ? Ce choix me paraît au premier abord bien injuste, car Mme de Beauvoir a une bonne tête, a toujours bien passé ses examens, et fait de belles promenades, alors que Pascal empêchait toute sa maisonnée de manger des viandes en sauce, sous prétexte que c'était trop appétissant. On ne voit pas non plus ce qui empêcherait quelqu'un d'être converti par une source, et désabusé par un accident de voiture. De l'innocence des sources et des livres. Je crois que je puis m'y mettre sans remords.

La vérité, le mensonge, ma vie, tout cela, une autre histoire. Choisir un sujet.

Tout de même, j'ai trente ans, cet âge qui me paraissait inabordable, j'ai cette maison, ce métier, ces enfants, attributs des adultes, ces « opinions », cette vie que je commence à avoir choisie... Et ce livre même que je n'ai pas encore écrit, dont je n'ai pas choisi les personnages ni le sujet, ne fait-il pas partie déjà de cette vie, déjà écrit, en somme, déjà classifié, momifié, déjà « mon sixième livre » ou « le cinquième roman de Françoise Mallet-Joris », ce qui est tout à fait normal puisque je suis un écrivain, qu'un écrivain produit des livres, devient une machine à produire des livres, et que c'est le contraire qui serait surprenant. En somme, ce que je demande, c'est : Y a-t-il une raison d'écrire ce livre ? Et peut-être aussi : Y a-t-il une raison de vivre cette vie, la mienne, celle-ci plutôt qu'une autre, ou, elle aussi, momifiée, classifiée, se déroule-t-elle automatiquement, issue de la machine comme un long ruban de papier marqué de hiéroglyphes ?

Y a-t-il une autre raison d'écrire ce livre que la note du médecin et celle du percepteur, le plaisir patient de la recherche des mots correspondant soudain aux images, l'habitude qui date de l'enfance, de ces heures paisibles, de ce rassemblement ; et l'éditeur qui attend, le lecteur qu'il « ne faut pas lasser » par une production trop abondante, mais non plus « décourager » par une périodicité trop espacée... Y a-t-il une autre raison de vivre qu'une présence chère, la grâce fugitive d'un enfant au sourire édenté, au nez plat taché de rousseur, la chaleur fugitive de cet été normand ? Mais y a-t-il une raison même de chercher ces raisons ? Ne suffit-il pas qu'elle semble enfin fonctionner sans heurts, la machine ?

Sans heurts, mais non sans grincements. Le grincement, c'est Luc et Lucien, ce sont les « têtes blondes » de *Paris-Match*, c'est surtout mon propre étonnement. C'est vraiment moi, ça ? C'est vraiment mon sujet, mon roman ? Je peux m'embarquer sans regarder en arrière ? Il vient un moment, après avoir beaucoup tâtonné, où je dis oui au sujet. Et je ne regarde plus en arrière. Tant bien que mal, j'arriverai au port. Le moment est peut-être venu de dire oui à la vie ?

Je pense aux vers de Cocteau : « Me voici arrivé au milieu de mon âge. A cheval sur le toit de ma belle maison... » Sans être tout à fait « au milieu

de mon âge », la position de mon grenier, sa large
vue ronde de champs, de haies, de collines, m'in-
citent à la méditation, et ne sont pas sans analo-
gie (comme dirait ma chère maman) avec ma position morale, parcourant du regard un cirque
d'images, de couleurs, de perceptions, sans encore
se fixer, sans non plus en rejeter aucun détail.
Attendre.

Cependant, le temps coule, et chaque souvenir
qui passe prend un moment, comme sous un pro-
jecteur, la couleur de ma préoccupation. Il me
suffit de revoir un visage, un arbre, une maison,
pour me remettre à peser les objets et les mots,
les tourner, les retourner, chercher si peut-être,
en me plaçant à gauche ou à droite, il n'y aurait
pas là un

sujet.

Enregistrer, simplement. Espérer, mais *sans le
provoquer d'aucune manière, le déclic.* Première-
ment, enregistrer. Ensuite, analyser les éléments.
Combiner de cent façons. Non, ce n'est pas ça.
Mettre en réserve. Plus tard, peut-être...

Mais absolument incapable, absolument, de définir pourquoi ce sujet-là, et pas cet autre. Pourquoi, même, cette façon de le traiter, et pas une
autre. Si seulement j'arrivais à résoudre ce petit
problème (rassurant par son air technique), peut-
être m'aiderait-il aussi à en résoudre d'autres.

Pourquoi cette vie, par exemple, et pas une autre ?
Choix, hasard, fatalité ? Choisissons un sujet arbi-
trairement, pour tenter une expérience, comme
on choisit un livre — à lire. Comme on va faire
une visite : « Il faut absolument que j'aille voir
X. » Allons voir

Alex.

L'appartement est au troisième. Entrons, l'œil
balzacien. Entrons dans le salon-salle à manger
(ils communiquent pour la facilité de la description) et prenons place sur l'un de ces sièges, in-
confortables à l'extrême, qui imitent les coquilles
Saint-Jacques, sièges cannelés et peints, peints
d'argent. On sent tout de suite, à ces sièges, qu'on
n'est pas chez un homme engagé.

Deux cheminées ; sur celle du salon, trois dames
1900 en biscuit, assez gracieuses ma foi. Sur celle
de la salle à manger, un gros ange baroque allemand, en porcelaine vivement colorée, et qui pro-
voque à mon sens un malaise bien déplaisant par
son regard fixe et son sourire luisant. Le maître
de maison aime à le soulever et à faire remarquer
l'endroit par lequel il est empalé, pour ne pas
tomber de la cheminée. Le salon comporte un
piano, sur lequel Alex vous chantera tout à l'heure
de gracieuses mélodies où traîne une inexplicable
mélancolie. Au centre de la pièce, une petite table
basse drapée de velours grenat frangé d'or est

franchement hideuse. On croirait la table d'un prestidigitateur d'où vont jaillir des pigeons, un bocal de poissons rouges et un bouquet de fleurs artificielles. Les sièges en écailles de poisson sont dans un coin. Sur le piano est un stéréoscope où vous pourrez admirer tout à l'heure la collection de vues. Il y a un voyage au Japon en 1860, des vues de Paris inondé en 1910, et, si vous êtes dans les bonnes grâces d'Alex (ou qu'il pense vous gêner particulièrement), vous pourrez admirer une collection unique de nus 1900, couchés sur des tapis de table marocains, se couronnant de guirlandes en papier, se flagellant malicieusement, ou même portant autour des seins une couronne d'épingles de sûreté enfoncées dans la chair. Il y a encore une fresque en trompe l'œil représentant un portemanteau sur lequel voisinent un haut-de-forme, un boa et des dessous de femme. C'est tout pour le salon, et pour la salle à manger où, à part l'ange empalé, une demi-douzaine de chaises simplement laides, une table banale ne méritent pas qu'on en parle. Il faut traverser le couloir, assez mesquin et obscur comme dans toutes maisons de l'époque. Moquette. Et pénétrer dans le *petit* salon, contigu à la chambre à coucher, où l'on prend le café. Velours rouge encore. Babioles contournées sur la cheminée. Pick-up fonctionnant mal mais caché dans un assez beau coffre Renaissance entièrement peint. Atmosphère quiète et close. Petit meuble chargé de journaux, de revues. Table Louis XIII, vraiment belle. Fauteuil même époque rendu pittoresque (et gâché) par un lutrin qui s'y adjoint et se manœuvre, formant pupitre. Aquarelles représentant des décors de théâtre. Voici le café.

Alex le sert avec beaucoup de bonne grâce. Son diminutif frivole lui va bien. Il est mince et léger malgré la cinquantaine qui approche, le visage fin voilé d'un réseau de rides légères ; ses mains sont sensibles ; ses yeux doux et inquiets, son sourire ironique et précis : hiatus. Il parle avec vivacité ; on eût dit autrefois avec esprit. Et pourtant, au bout d'un instant, on est surpris. Parle-t-on d'une opérette à succès, assez vulgaire : « Il faut bien qu'elle soit bonne, puisqu'elle réussit », dit Alex, les traits soudain durcis. Ce qu'il ne supporterait pas, c'est qu'on le croit touché par l'échec (relatif) des deux opérettes qu'il composa autrefois, avant de se consacrer à la musique de film. Et il entame une théorie des pièces à succès, presque nietzschéenne. Si on ne réussit pas, au théâtre, c'est qu'on ne méritait pas de réussir. Une bonne musique plaît toujours. Un bon livre est toujours lu. Un homme qui a quelque chose dans le ventre arrive toujours. Son doux visage fatigué prend une rigidité fanatique. Implacablement, il s'exécute lui-même. « Un succès moyen, cela signifie un talent moyen. Il faut être lucide. »

C'est son maître-mot, comme celui des petites étudiantes en imperméable qui se croient « modernes ». Bien naïf, pour son âge. Il faut être lucide. C'est Alex qui me disait, avec presque de la

haine : « Ton Garcia Lorca, ce n'est qu'un pédéraste, après tout. » Et pourtant, quel homme plus
accommodant, en apparence, aux vices d'autrui !
Quel homme plus plein d'urbanité, plus parisien,
plus voué aux générales, aux cocktails où toutes
les mains se serrent ; plus entouré d'acteurs équivoques, de chanteuses faciles, d'hommes riches et
désœuvrés à la recherche de distractions ! Quel
homme plus porté à ironiser sur toute recherche,
toute politique, toute nouveauté si elle est sérieuse, toute religion si elle n'est sociale, toute vertu.

Toute vertu... J'en suis encore à chercher un
homme qui ne se fasse pas une vertu de ne pas
en avoir. L'homme simple, naturel que lyrique-
ment invoquent les surréalistes, tristement admi-
rent les philosophes, que feignent d'être les réac-
tionnaires et les progressistes en mal de programm-
me — oh ! leur emploi de l'adjectif *sain !* —, cette
« force de la nature » dont rêvent les femmes,
lasses d'avoir depuis des siècles tout le mal de
créer des don Juan, cet homme sans complexes
et sans scrupules dont rêve parfois l'homme de
gauche, oublieux un instant de toute politique,
auquel s'efforça, si laborieusement, de ressembler
le cher poète Georges Bataille (sans y réussir, Dieu
merci !), pourquoi cette force de la nature (identique en tant de points au vigoureux épicier du
coin) détesterait-elle la vertu ? La nature ne déteste pas la vertu : elle l'ignore. Et j'en reviens
à l'innocence. Alex en est loin. Alex qui se prétend
un homme du XVIIIe siècle, un homme d'Ancien

Régime (le XVIIIᵉ siècle des bergeries, des automates, des menuets, des Crébillon et non de Diderot), a pourtant cette vénération de la « force de la nature » propre à notre siècle, affamé d'Eden, rongé par la nostalgie des verts paradis. Alex ne lit guère. Il y verrait de la prétention. Un livre pourtant sur Sarah Bernhardt, une sorte de Sarah Bernhardt en pantoufles, le captiva longtemps, par ses révélations au douteux relent d'alcôve. La petite histoire l'enchante. L'idée que Michelet aurait pu être, outre le grand historien connu, un obsédé sexuel, l'enchante inexplicablement. Lui vante-t-on la beauté d'une tragédie de Racine, il triomphe : « Racine aimait les jeunes gens, et avait trempé dans l'affaire des Poisons. Garcia Lorca... » Nous sommes au courant. Son grand cheval de bataille, c'est Mme de Sévigné. Ah ! Mme de Sévigné. Hein, l'amour maternel ? Laissez-moi rire. Il recherche les interpolations, les transformations, les suppressions, dans les célèbres lettres, avec une passion d'érudit ou de mouchard. S'il pouvait découvrir seulement une preuve de quelque coupable passion entre la mère et la fille, il aurait l'impression de triompher. De triompher de quoi, Alex au cœur sensible ? De toi-même ? Le goût de la vérité, a dit excellemment Jean Cassou, passion trouble... Mais s'agit-il encore là de la vérité, ou seulement *d'une* vérité ?

Nous voici réunis pour le café, nous, les amis d'Alex. Amis ?

Un charmant pédéraste (et Garcia Lorca, alors ?

Mais Alex *adore* s'entourer de pédérastes. Dans la mesure même où leur pédérastie lui paraît une tare, un apport à sa « démystification ») ; une petite actrice dont il s'est assuré, avant d'en faire sa maîtresse, qu'elle n'avait aucun avenir ; une actrice plus âgée qui l'accompagne au Marché aux Puces et dans certaines réunions où on laisse ses vêtements (tous) au vestiaire ; un « vieil ami » employé d'une maison de commerce ; un journaliste aux boucles noires, d'une étonnante vulgarité, qui le tutoie, lui tape sur l'épaule, se croit tout naïvement son meilleur ami, sans analyser le regard reptilien qui glisse sur lui, le plaisir suspect que prend Alex, en le présentant, à sembler proclamer : « Hé ! oui. Ce sont des gens comme ça que j'aime fréquenter. Ils ne sont pas masqués, eux, au moins. Ce sont des porcs au naturel. Comme vous, comme moi. Si vous le trouvez antipathique, c'est par hypocrisie. »

Et ce n'est pas qu'il soit si odieux, l'inoffensif journaliste aux cheveux grecs, qui travaille dans un journal vaguement pornographique, je le trouve même assez touchant quand il s'assied au piano pour chanter quelque chanson obscène, se prenant au charme de sa voix bien timbrée de Méridional, comme s'il était Tino Rossi. Ce n'est pas qu'elle soit si sotte, la petite actrice qui fait ce qu'elle peut pour arriver, bien sûr, pour laquelle, Alex, c'est d'abord la possibilité d'auditionner, de s'habiller, d'être vue à l'Elysée-Club, et en train de se faire coiffer, chez Garland ; mais qui voudrait bien mêler à tout cela le peu de sentiment, la très petite tendresse à bon marché qu'il y a en elle, ce coin de Prisunic qui ne demande qu'à fleurir, et qui rendrait cela un peu plus acceptable, pour elle qui n'est pas « lucide »... Elle n'est pas si dépourvue de vertu, l'amie des Puces et des Partouses, courageuse devant l'âge, courageuse devant le demi-succès (ce qui s'appelle si joliment : un succès d'estime, tant il est vrai que l'estime n'a jamais nourri personne). Courageuse devant le dégoût qu'apporte aux personnes sans scrupules « le torride plaisir que nul remords n'ombrage ». Il n'est pas si quelconque, le vieil ami devant qui, sans gêne aucune (il n'a pas réussi, n'est-ce pas ?), on se déshabille, et qui peut-être a la sagesse de ne pas vous juger. Et Alex ?

Est-il aussi complexe qu'il apparaît, aussi simple qu'il le voudrait (d'où ta séduction, ô Poujade !), est-il simplement ce visage dessiné par Clouet d'un homme malheureux ?

Je ne suis pas sûre que Alex fasse un bon personnage. Un personnage, il faut tout de même qu'on puisse le mettre à plat, l'étaler ; c'est un tableau plutôt qu'une sculpture. Une certaine complexité ne lui messied pas, mais il faut qu'elle mène à quelque chose. Que le lecteur puisse se dire : « Ah ! Voilà ! C'est pour cela qu'il était comme cela. J'ai compris. » Evidemment, c'est une conception du roman qui touche encore au roman policier, à la mécanique, voire au bricolage. C'est fou le mal qu'a pu faire Freud, le vieux

74

Dieu-Fleuve, à la psychologie traditionnelle, indirectement. La psychologie de Balzac, cette minutieuse description de l'âme dans ses manifestations extérieures, réduisant le vieux Pons à l'état d'objet et élevant l'or de Grandet à la dignité de personnage, cette psychologie descriptive est toute proche, au fond, du « nouveau roman » et de ses abstractions, comme le pittoresque pur est tout proche déjà de l'absurde — *Marienbad*, triomphe du baroque, illustre bien cette rencontre. Théorie à défendre dans un essai « brillant ». *Balzac aurait fait du nouveau roman !* Les salines du Croisic (dans l'admirable *Béatrix*, cher à tant de poètes, dont Gracq et Breton) ont ce mystère inimitable des choses, et l'attirance étrange du jeune et beau Calyste pour Béatrix, cette momie, ne sera jamais *expliquée*. Quel savoureux parallèle on pourrait faire entre Balzac et Pinget, par exemple ! Ne serait-ce que ce goût du bric-à-brac... Nous sommes loin des mots croisés freudiens : un complexe en six lettres, et nous tenons la clé. Le policier, rien d'autre que le policier : Œdipe est l'assassin (et l'allure tortueuse, si révélatrice, des psychanalystes ! Des mouchards, à la fois bourreaux et complices de ceux qu'ils traquent). Facile, tout cela : question d'horlogerie.

Alex pourrait être un personnage de Balzac, un personnage « donné » ; à peu de distance en somme du personnage-objet dont on nous parle tant. Mais le lecteur demande une explication. On aura beau lui dire que comprendre, ce n'est pas forcément expliquer, il veut un personnage accusé, qu'on acquitte ou que l'on condamne, il veut être son juré. *Lettre à mon Juge*, c'est une formule du roman autant qu'un titre. Une bonne machine, un bon mécanisme. Pourquoi non ? Il y en a d'autres. Il y a aussi de bons romans. Alex pourrait être décrit. Alex pourrait être jugé, utilisé comme ressort d'une aventure bien montée, invoqué comme témoin d'un monde préfabriqué. Mais comment choisir ? Et puis-je choisir ? Imaginons-le un instant...

Sujet : décrivez un compositeur de musique de films, célibataire, aisé, la quarantaine dépassée. Ses divers aspects. Concluez en donnant votre point de vue.

Si simple, si rassurant, ce genre d'énoncé. J'aimais beaucoup ce genre de travail, à l'école, il y a bien des siècles, hier. Pourquoi le travail d'écrire n'est-il pas resté aussi simple, avec la plume neuve que l'on choisit, le beau papier blanc où l'on va tracer un plan minutieux... Mais décrivons.

Premier aspect : un marquis de répertoire. Il évoque le XVIIIe siècle et sa divine frivolité. Préfère le joli au beau, le bizarre au vrai, et honnit par-dessus tout le sérieux. Paradoxal et charmant, tolérant tous les vices, ouvert à toutes les tentations pourvu qu'elles ne mènent à rien. Ni politique ni mystique, et désabusé sur tout cela et sur l'amour qu'il ne veut traiter que comme une « petite guerre » badine. Pointe d'élégant sadisme. Un personnage pour Vailland. A lui.

Deuxième aspect : « poujadiste ». Son amour et son respect apparents de la réussite. Par suite, son respect proclamé des valeurs *sociales* (jamais des valeurs morales). La gauche lui paraît répréhensible à la fois parce qu'elle a des prétentions morales (premier aspect) et parce qu'elle n'est pas au pouvoir (deuxième aspect). Il parle volontiers d'*efficacité ;* il dit : « La politique n'est pas une morale. » Il cite Goethe : « J'aime mieux une injustice qu'un désordre. » Il affecte parfois, lui qui a mal au foie, d'aimer l'épaisseur de tel individu, type gros-mangeur-gros-buveur-conteur-de-gaudrioles, tant il a peur de passer pour un intellectuel fatigué. Il ne range jamais sa voiture à un emplacement où elle puisse gêner quelqu'un d'autre. Il envoie son obole à une œuvre religieuse d'enfants abandonnés. Panoplie complète de bourgeois à l'usage du feuilleton de *L'Humanité*. Abandonnons-la-lui.

Troisième aspect : tortueux. Il est entouré de gens étranges et y prend plaisir. Il épie ses maîtresses et prend une sorte de plaisir à leur prouver qu'elles ne l'aiment pas. Quand il se sait trompé (dans un cas, volé), il joue au chat et à la souris, torture la coupable et lui-même. Il aime ce qui abaisse, ce qui diminue. Voir Mme de Sévigné. Il fourmille d'anecdotes sur les vices d'autrui. Fanatiquement, il dénonce partout l'hypocrisie, la duperie. Il a souvent raison. Il en souffre, mais ce n'est déjà plus consciemment. Là, M. Mauriac n'a qu'à prendre la plume. Le travail est fait d'avance. Il ne reste qu'à introduire dans ces ténèbres la lueur salvatrice. Et ne peut-on la trouver, en cherchant bien, dans cette musique pure et facile comme une source prisonnière ?

Enfers.

Pour moi, j'aimerais assez peindre en lui cette image d'une créature assez folle pour se vouloir damnée. Damnée sans chaudières ni diablotins, bien sûr. Je penserais volontiers, comme mon petit garçon : « L'enfer n'est pas le même pour tout le monde. » Et quand je parle de damnation, elle n'est certes pas, pour moi, contenue dans une opinion politique ni une façon de faire l'amour. Je parle de cette damnation que tous peuvent comprendre, qui est, pour un homme intelligent, de devenir volontairement bête, pour un homme sensible, de devenir volontairement dur, pour un homme blessé, d'être à son tour blessant, pour un homme orgueilleux, de s'humilier plutôt que d'être humilié. Je parle de cette damnation, pour un homme cultivé, d'en venir à lire des magazines, des « séries noires », qui font les délices d'innocentes bonniches et d'opaques blousons noirs. Je parle de cette damnation, pour un homme aimant, de descendre de femme en femme au niveau le plus bas (ou qu'il croit le plus bas, car il n'y a pas d'être bas qui ne mérite pourtant l'amour). Je parle de cette damnation qui consiste à choisir, volontairement, par orgueil et par peur, le plus facile, le plus injuste, le plus étroit.

L'innocente bonniche, avez-vous dit ? L'innocent buveur de bière ? L'innocent blouson noir ? Je l'ai dit ; j'avoue que me voilà, par ce long circuit, revenue en enfer et au paradis. « Il peut y avoir péché à boire même un verre d'eau », a dit je ne sais plus quel saint. Et mes innocents de rire. Ah ! Le goût de la souffrance des chrétiens ! Leur complexe de culpabilité ! Un verre d'eau ! Mais pensez-donc ! Buvez, buvez mes bons amis. Allez-y, ne vous privez pas ! Vous ne réussirez jamais à mettre un péché là-dedans, et c'est peut-être tant pis pour vous. C'est une belle chose à voir qu'un innocent ; il boit, il baise, tue, viole, torture, et ne quitte pas son bel Eden sauvage. « Celui qui n'est pas dans la loi ne sera pas jugé selon la loi. » C'est ce que je disais : l'Eden est plein de flics, la forêt vierge aux belles fleurs vénéneuses innocentes elles aussi, la calme forêt vierge engloutissante, si bien peinte par le douanier Rousseau, est pleine de fauves aux beaux yeux, de serpents d'un bleu céleste, de tendres biches consentantes au martyre. Et la viande rouge sous leur patte, la viande pantelante qui se souvient encore d'avoir été vivante, est plus innocente que ce verre d'eau aux lèvres du pécheur, que ce magazine aux mains de mon intelligent *personnage*.

Ce qui innocente complètement, entre nous, le verre d'eau et le magazine, en tant qu'objets ; le viol et le meurtre, en tant qu'objets ; le péché, en tant qu'objet ; et l'interdit jeté par nos petits romanciers chrétiens sur cette pauvre chair innocente, cette pauvre luxure innocente, qui hante leurs pensées affamées comme les hanterait ce verre d'eau, si seulement on leur avait assez dit que dans cette eau résidait le péché. (Et plaise à Dieu qu'on le leur eût dit ! Je plains les épouses des jeunes romanciers chrétiens.)

Chacun a son péché, sauf Tamerlan peut-être, cet innocent qui fit tomber à Delhi plus de cent mille têtes. Luc, Alex n'ont jamais fait tomber aucune tête (il faut dire qu'ils n'en ont pas eu l'occasion), mais je préfère Tamerlan. Comme mon petit garçon, véritable puits de sagesse, qui lit *Tarass Boulba*, frémit, admire et dit : « Taras Boulba a incendié dix-sept villages, et puis c'est lui qu'on a brûlé. Ce n'est pas bien, mais c'est beau. » Oui, c'est beau, comme est beau l'incendie. Je ne suis pas contre l'incendie moi-même. Ce que je n'aime pas, ce sont les faux incendies en néon.

Par ce détour, me voilà ramenée au vrai, au faux, et à moi-même. A ces questions qui me vien-

80

nent à l'esprit de m'être vue, reflétée dans un miroir humain, comme une personne, et pourquoi
pas, comme un personnage.

Mais n'était-ce pas ce que je désirais, enfant ?
Etre une personne ? Et pourquoi tout mettre en
question ? Il y a seulement dix ans, pas même,
sept ou huit ans peut-être, jamais pareille question ne me serait venue à l'esprit. Je l'ai dit, je
ne pensais pas. Cela peut paraître étrange, et l'on
me reprochera d'avoir changé. Mais qu'y faire ?
Allons, je vois bien qu'il faut que je parle de moi.

A quinze ans, un amant ; pris sans cynisme
(j'insiste là-dessus : il ne s'agit pas d'un roman
à couverture verte et blanche), par besoin naturel
du corps et du cœur ; tout eût été parfait si j'avais
pris un amant aussi simple que moi ; nous aurions connu quelques mois d'éternité au milieu
des grandes feuilles calmes de la jungle, sous l'œil
doux des lions familiers, amis d'Adam et Eve par
tradition picturale. Jusqu'au serpent qui n'y aurait
rien trouvé à redire. J'avais mal choisi, ou plutôt
je n'avais pas choisi. Le seul homme que les circonstances me permettaient de rencontrer, auquel
ses ressources ouvraient le paradis des hôtels
meublés, dont le caractère me permît de l'aimer,
était un être pensant. Il me fit un cours sur la
liberté de chacun, sur la lucidité (encore ! Pitié !),
sur l'affranchissement des conventions bourgeoises... Je n'en retins que ce qu'il fallait pour le
tromper un peu plus vite et avec moins de naturel
que je ne l'aurais fait s'il ne m'avait rien dit.

Peut-être, s'il m'avait prêché la vertu, en aurais-je suivi la voie pendant quelques années, pour lui faire plaisir. Je l'ai dit, je n'avais nul principe. A cette époque, mes parents me gênaient. Je les détestais donc, à la grande joie de cet homme compliqué. Aussi, quelle indignation vertueuse (un autre mot n'est pas admissible) il éprouva lorsque, à peine affranchie du joug de mes parents, je me repris à éprouver pour eux, puisqu'ils ne me gênaient plus, une simple tendresse animale ! De même, mes parents, passé une colère naturelle sinon légitime, retrouvèrent cette même tendresse pour moi et l'enfant de mes pérégrinations. On ne parla plus de rien. A vrai dire, on n'y pensa plus. Nous demeurions dans la forêt où dès qu'on n'a plus faim, on ne tue plus personne. Nous étions du même camp. Je ne désapprouvai pas l'homme que j'aimais : l'idée de juger qui que ce soit m'était parfaitement étrangère ; je cessai de l'aimer. J'avais acquis dans sa compagnie un certain *ton* qui me permit d'écrire un livre — le premier. J'avais toujours écrit. Je continuai de plus belle quand il me fut démontré que cela me permettrait parfois de gagner de l'argent.

Je continuais à ne pas penser. C'est un état bien agréable. Il n'y a pas moyen malheureusement d'y revenir. La nostalgie des verts paradis est inévitable. Mais de se retourner vers eux n'aboutit qu'à changer en statue de sel tout ce qui commençait à naître de différent. Les enfants, c'est bien évident, sont plus beaux que les adultes. Sur dix enfants qui passent, sept ou huit sont charmants ; sur dix hommes... Mais les adultes sont plus beaux que les gâteaux. Ne suivons pas le siècle qui bêtifie, et qui, ayant eu l'imprudence de se retourner, se voit figer sur place en statue (de général).

On est privilégié d'arriver à vingt-deux ans en état d'innocence. L'homme-que-je-n'aimais-plus (sentiment partagé d'ailleurs : il connaissait les convenances) continua à m'entretenir pendant plusieurs années. Nous restions amis. Je trouvais sa générosité naturelle, mais le contraire m'eût aussi peu surprise. Je continuais d'écrire. Mon fils grandissait, et je l'aimais. Mes parents avaient recommencé à m'écrire, à me voir, et je les aimais. Je ne me croyais pas obligée de faire l'amour autrement que par hasard, et rarement. Je ne vécus pas une folle vie ; je rentrais tôt parce que j'avais sommeil, je travaillais parce que j'aimais ça, j'aimais quand cela me plaisait, pas souvent, et je dépensais peu parce que j'avais peu d'argent. Je vécus une vie libre. C'est dire que l'Eden, je le connais. Mais une fois que je l'ai su et nommé, j'en étais déjà sortie.

> *Quand j'ai connu la Vérité*
> *J'ai cru que c'était une amie*
> *Quand je l'ai comprise et sentie*
> *J'en étais déjà dégoûtée...*

Mais l'Eden était-il la vérité ?

Il y a toujours quelque impudeur à parler de soi, et j'aimerais l'éviter. Le ton des confidences me déplaît. Je pense à ce passage de Balzac : « Béatrix avait sur ses murs des aquarelles représentant les diverses chambres à coucher où elle avait séjourné au cours de ses voyages, ce qui donnait la mesure d'une impertinence supérieure. » Je ne tiens pas à cette supériorité-là. Je n'ai pas, non plus, tant de mémoire, et l'aquarelle n'est pas mon fort.

Des chambres à coucher, non, j'éviterai ce sujet autant que possible — pas tout à fait, pourtant : je ne veux pas, sur un sujet aussi simple, manquer de simplicité. Mais il y a tant d'autres chambres plus closes qu'une chambre à coucher ! Et d'abord, toutes celles où l'on écrit. C'est du moins ce qu'il me semblait. Dans cette « chambre à moi », je rapportais les découvertes faites au-dehors, je les examinais, les triais, et m'émerveillais de posséder, me semblait-il, tant de choses. Un de mes plaisirs essentiels était, alors que j'habitais Neuilly, de sortir après dîner (un rêve d'enfant enfin réalisé) et d'aller m'asseoir sur un banc de l'avenue de la Grande-Armée, dans l'obscurité regardant passer les voitures, phares allumés, qui allaient vers l'Arc de Triomphe. Ce banc m'en rappelait un autre, dans un parc près de la maison de mes parents, où j'allais ainsi m'asseoir, dérobant quelques instants à la journée trop prévue.

Pour moi, enfant très surveillée, prisonnière de la grande maison au mouvement d'horloge, la liberté, c'était la solitude. Première découverte. Quand je commençai à suivre des cours privés, ce fut la joie de ne pas rentrer à heures fixes, de flâner un peu dans les rues, de prendre un café, seule, quelque part, de me sentir à l'abri dans la foule, inconnue, invisible. Seule, protégée. Chambre, déjà. Il y eut bientôt le plaisir de s'enfermer dans un livre. Lire, soir et matin, partout, devint une vraie maladie. Je lus tout ce que m'offrait la bibliothèque, vaste et variée, de mes parents. Je lus en quantité, et très mal : que de livres j'ai ensuite redécouverts ! Lire, c'était encore être seule, être à l'abri, et écrire aussi ; mais écrire, c'était aussi utiliser, organiser.

Oui, à écrire ces petits poèmes, qui devaient être bien innocemment lyriques (je ne les ai jamais relus), j'ai goûté une première grande joie solide. Ce que j'avais éprouvé, cette violence, cette mélancolie, cette joie n'étaient pas des nuances fugitives, des heures perdues, des reflets ; c'étaient des briques, l'une sur l'autre posée, qui formeraient un édifice ; c'étaient des matériaux concourant tous à une construction. Quelle paix soudain de penser que cette brève adolescence prisonnière, rien n'était inutile. J'avais faim de solidité, d'utilité, d'éternité, sans le savoir ni le formuler. Le besoin d'écrire devint tout de suite un travail. De l'élan, je passai vite à la recherche. A la fin de chaque journée, je rapportais un butin de mots, d'impressions, que j'herborisais avec soin. Pendant sept ou huit ans, le travail m'a donné la paix. J'aimais l'ordre d'instinct. Je croyais seulement qu'on pouvait le cantonner dans un seul domaine. Je trichais avec lui, mais si machinalement. J'étais un animal heureux.

Le plaisir de gagner de l'argent, je le découvris après mon premier roman. Je l'appréciai énormément. Il achevait de me libérer. J'existais, enfin détachée de toute amarre. J'existais socialement, si l'on veut. J'allais seule au restaurant, un journal à la main, avec un extrême sentiment d'importance. Ma vie aussi se construisait, pensais-je. Je n'avais pas le sentiment d'avoir des amis, bien que sortant quelquefois en bande, mais rarement. Mon fils m'était un petit animal familier, physiquement agréable. Mes parents, cette chaleur un peu lointaine, comme un bon feu dans une pièce, dont je sentais que j'aurais pu me rapprocher en cas de besoin, mais qui n'avait ni forme ni existence propre. L'homme qui m'hébergeait était devenu cela aussi. Un bon feu, auquel j'avais un peu de reconnaissance parce que rien ne l'obligeait à me réchauffer. J'aimais lire, me promener, manger, dormir ; quelquefois aller au cinéma, quelquefois, bien vaguement, sentir que je plaisais, que j'étais aimée : mais pas trop. J'ignorais l'art, la peinture me laissait froide, avec parfois un vague agrément ; on disait que j'aimais la musique, parce qu'elle me berçait ; je n'avais d'opinion ni politique ni morale, seulement l'impression que ces cho-

ses-là étaient ennuyeuses. Je travaillais régulièrement, et j'y prenais plaisir. De temps en temps,
une image m'atteignait brusquement, et je la mettais de côté pour m'en servir, ou pour y réfléchir un jour qui n'arrivait jamais. Un jour, je vis
un paysage qui me parut beau, et cela m'étonna :
la campagne aussi me paraissait se ranger dans les
choses ennuyeuses. Un autre jour, à Venise, je *vis*
réellement un tableau (du Tintoret) et j'en eus le
même plaisir étonné. Je ne savais pas qu'on pût
prendre vraiment plaisir à la beauté. J'y voyais
une affectation, un langage. Je n'avais aimé jusque-
là que des *nourritures*. Je devais être, je pense,
assez facile à vivre.

Et voici une chambre : un jour, dans une chambre d'hôtel, tapissée d'hortensias d'argent sur fond
bleu sombre, un homme quelconque me demanda
si je l'aimais, et cette question m'attrista, sans
que je susse très bien pourquoi.

Il devait faire beau dehors. La fenêtre aux rideaux lourds, gras de poussière, donnait sur une
cour sombre, fraîche, sonore comme un puits.
Au fond de cette cour, un homme se racla la gorge, longtemps, avec application, puis cracha, puis
chantonna. L'après-midi avait cette résonance particulière que semble donner un ciel très bleu à
Paris un peu vide. J'étais là, allongée dans le silence, avec un corps paisible et détendu, l'agréable parfum d'une cigarette dans la bouche, et je
vis cet après-midi (comme j'avais *vu*, pour la première fois, un tableau), je la vis inutile, non sans

grâce, mais sans rapport avec rien, flottant comme une fleur sur l'eau, et cette question, inutile aussi, flottait, nénuphar sans racines. J'étais là, j'aurais aussi bien pu ne pas y être. Un peu plus, un peu moins de soleil, un mot à la place d'un autre, un regard, une odeur... Je flottais au soleil, inutile, sans rapport avec rien. C'était l'écume de moi-même qui se laissait ainsi pousser par le vent à la surface d'une eau noire, ici ou là, déterminer par le soleil à aborder ici ou là, et moi, sur la rive...

Je n'allais pas plus loin dans cette pensée, à peine formulée, dans ce malaise presque agréable. J'eus seulement un peu envie de partir, voilà tout. Le vent avait tourné. Plus tard je rompis avec cet homme. C'était un soir vers les 7 heures, aux Champs-Elysées. Nous marchions, et les réverbères s'allumaient à mesure le long des jardins sombres. Je fus surprise de le voir peiné ; après tout, il éprouvait sans doute pour moi une sorte d'atta-chement. Pourquoi ne pas me l'avoir dit ? Nous aurions aussi bien pu ne pas rompre. Peut-être ma lassitude venait-elle autant de la chaleur de ce printemps que de sa présence ? Peut-être le cou-rant qui nous séparait avec une impitoyable mol-lesse pouvait-il être remonté ? Je ne formulai pas cette pensée, faute de vocabulaire.

J'avais un peu d'argent. Je décidai de faire

un voyage.

Laisser derrière moi toutes ces vieilles personnes. Les parents, ou le souvenir des parents. Les hommes, leurs conversations d'hommes. Le travail. Début d'un malaise, un grand désir de gratuité, de vacuité.

Nous sommes partis à pied, sac au dos, faisant de l'auto-stop, par beau temps : début d'un roman rose, série pour jeunes gens. Je m'en gorgeais. Et des paysages, soudain dévoilés, et du plein air, et de l'inattendu des étapes, et de ce jeune homme que je trouvais très beau. Nous sommes allés jusqu'en Espagne. Il n'était pas question de politique, de morale, ni d'art. Mais je respirais bien. Il était très fier d'avoir une « maîtresse ». Nous étions des enfants cachés dans le jardin, que les grandes personnes appellent et qui s'amusent à ne pas répondre. Nous regardions tomber le soir, installés à des tables de café, sur de petites places, devant des alcools doux, et nous nous sentions plus libres de tant de garçons et de filles prisonnières. Complices, oui. Il y avait déjà quelque chose à cacher, déjà quelque chose à ne pas voir ensemble. Que de lits à pommeaux de cuivre, que de courtepointes au crochet, que de rideaux à fleurs, et le soleil sur nos jambes brunes... Que de villes à musées que nous n'avons pas vus ! Mais nous avons bien caressé tous les chats de Tolède, ri de tous les jeunes Espagnols *chics*, de leurs souliers de deux couleurs, impeccablement cirés, de leurs airs dédaigneux pour sucer une olive. Mais nous avons bien traîné dans tous les bars de Madrid, brûlante et nickelée, laide et chaude comme une vraie femme. Je m'épris d'un Murillo du Prado ; aucune excuse. Pas d'un Velasquez, d'un Ribera, de rien qui puisse trouver un semblant de justification : d'un Murillo. Trop de riz à l'espagnole : nous décidions d'avoir mal au foie, nous faisions la sieste, les persiennes projetant des cœurs sur les dalles de la chambre. Nous lisions des journaux périmés. Le cri des aveugles vendant des billets de loterie, tirage *Para hoy ! Para hoy !* était comme le cri des grillons, émanation aiguë de la chaleur. Nous parlions de nous-mêmes, inventant de bien jolies choses, jouant à des jeux en trichant un peu. Et toujours de l'eau fraîche à boire, posée discrètement sur le seuil par la *criada*, belle aussi pour ne pas nous décevoir. Et des poèmes entre nos deux bouches...

Il faisait encore beau en rentrant à Paris. Si nous avions su, nous aurions compris que c'était un beau jour pour une rupture. Nous ne savions pas. Nous étions sortis à peine du ventre de l'innocence, les yeux encore collés comme des chatons gluants. Nous trichions, mais sans préméditation. Nous n'étions pas encore de ces primitifs appliqués qui connaissent les règles d'hygiène et les appliquent impitoyablement. Nous avons décidé de nous revoir. Voilà un second amour de gâché. Ce n'est pas encore trop, quand on pense à la consommation qui s'en fait à Paris. Nous devenions un couple. Cela ne pouvait que mal finir.

Chambres. Mon amour était dans l'une, mon travail dans l'autre. Aucune communication. Portes derrière soi soigneusement refermées. En même temps que je vivais sans règles et dans cette innocence préservée, menacée, je choisissais, comme aujourd'hui, un sujet.

Un sujet qui me tiendrait deux ans prisonnière. Un sujet qui me forcerait pendant deux ans — c'est mon rythme — à surmonter doutes et migraines, angoisses et mal au dos, qui me ferait lever tôt, refuser le cinéma le soir, la promenade le matin. Doutes qui précèdent la décision : je puis me tromper. Telle image qui me fascine, tel personnage qui m'attire, tel mécanisme qui me paraît propre à supporter mon travail plus profond, peut-être ne rendront-ils pas le *son* que j'en attends. Un autre sujet, de prime abord moins séduisant, peut-être correspond-il mieux, au fond, à ce que je veux faire ? Peut-être serait-il mieux compris ? Ou même, peut-être rapporterait-il plus d'argent ? Je ne rougis pas de ces considérations, car ce souci de communiquer, de correspondre avec le monde, fût-ce matériellement, fait partie de mon caractère et a son importance. Je suis heureuse, contrairement à beaucoup, que ce métier d'écrire soit *aussi* un métier. Le « aussi » a son importance.

Mais enfin, je me décide, aujourd'hui comme alors. Ecarter les doutes, et tout bien pesé, selon les moyens dont je dispose, écarter toute pesée désormais. Pour deux ans. S'attabler chaque matin devant ce sujet comme s'il était le seul. Le creuser, l'élaguer des diversions qui s'y glissent...

91

(si l'on apportait autant de soin à l'amour qu'au travail, l'amour s'en porterait mieux, sans doute). Si le travail est laborieux, pénible, le résultat plat, décevant, le lendemain, je le sais, me trouvera quand même à la besogne, jusqu'au jour de grâce où tout s'anime et semble avoir toujours préexisté ; alors que dans nos rapports avec les êtres, un mot, une journée un peu morne, un peu disgraciée, remet tout en question. Cette patience apprise de vive force par ce travail de chaque jour, et creusant ainsi, sans le savoir, une sape dans l'heureuse innocence des après-midi, c'est peut-être là le sujet que je voudrais traiter aujourd'hui ?

Mais, au retour de ce voyage, j'hésitais entre deux sujets, je pesais, soupesais, et prenais ces

notes.

Une jeune fille bête, mais simple, confrontée à un milieu plus « civilisé » — *sans le vouloir* signifiant quelque chose, créant *sans le savoir* autour d'elle des remous qui bientôt lui sont fatals. Entraînée par la logique de ses actes, mais sans la comprendre, à provoquer et à révéler le mensonge autour d'elle.

Ou alors un homme écrivant son journal intime, falsifiant à mesure son personnage, et entraîné par lui à des décisions qui lui nuiront... Ou : un public quelconque confrontant l'homme qui écrit et l'homme qui vit, l'obligeant à un accord entre les deux, non par goût de la vérité, mais pour ne pas voir si flagrant son propre mensonge, comme *joué* devant lui par cet acteur maladroit. Le rôle magique de la *représentation*. Hamlet. Ici, la magie a joué à l'envers de l'effet prévu. Rôle des journaux intimes : dégager la vérité, la travestir. A creuser.

Ces notes, patiemment tracées avec bien d'autres dans mon *Journal intime*, ne sont-elles pas, dans la situation où je me trouvais alors, du plus haut

comique ?

C'est ainsi qu'elles m'apparaissent. Quoi, moi, crayon en main, tous les jours depuis, presque, que je sais écrire, tout occupée à chercher le sens des mots, à y réfléchir, à patienter dans l'impatience, à espérer dans le désespoir, moi, croire de si bonne foi pouvoir échapper, le crayon posé, à cette réflexion, à cette recherche ! Y réussir, miraculeusement, pendant des années, ignorer, avec un aveuglement magnifique, le sens et presque l'existence de ces petits malaises rongeurs qui tentaient de venir au jour (pour tout à coup, ouvrant les yeux, découvrir qu'on existe et s'en émerveiller) ! Quoi de plus drôle, enfin, que d'être à son tour un personnage de cette éternelle histoire d'une prise de conscience, quelle qu'elle soit, alors qu'on l'a déjà et plusieurs fois décrite, soi aussi *sans savoir*, alors que tous ces sujets et tous ces mots de « rapports » et de « révélation » sont cent fois venus sous la plume et comme s'ils étaient inoffensifs !

C'est trop beau, et d'un comique de guignol. Et pourtant, quelle bonne foi ingénue était la mienne ! Et comment savoir que ce moment, banal, entre désir et crainte, où l'on se dit : « Est-ce qu'on se revoit ? » déjà ce moment n'est plus tout à fait pur — ou ne l'est-il pas encore ?

Je voudrais quitter ce thème, et pourtant, il me faut dire encore comment j'ai gâché mon premier amour. Je n'en ai eu que trois, je vous rassure tout de suite, et le troisième ayant été heureux, je n'en parlerai pas. Trois, c'est un joli nombre satisfaisant pour l'esprit. On analyse en trois points, on dispute des championnats en trois manches, il y a trois Grâces. On voit comme mon goût secret de l'ordre et de la méthode (dû sans doute à mes origines germaniques) se trahit dans le moindre détail. Trois donc. Le second a été gâché par, aussi fragmentaire qu'elle ait été, une prise de conscience, un manque de naturel. Le naturel eût été de se quitter sans histoire, le corps et le cœur rassasiés et prêts à d'autres aventures. Il n'y avait rien d'autre entre nous que cette brève tendresse poisseuse du printemps, l'éclatement des bourgeons, le soulagement de l'air soudain balayé, purifié. Nous étions jeunes, libres pour la première fois. C'était l'amour d'une saison. Il ne faut pas rechigner devant l'équinoxe, vouloir em-

94

pêcher les fleurs de s'épanouir. Mais, je l'ai dit, nous n'étions plus naturels. Nous voulions nous *aimer*. Ce que nous entendions par là, je ne le sais pas plus aujourd'hui que je ne le savais alors ; j'imagine que nous voulions simplement « que ça dure encore un peu ». Nous dérangions l'ordre de la nature, nous n'y substituions aucun autre ordre. Résultat : une récolte perdue. C'était à prévoir.

Mais je voulais parler de mon premier amour. Celui-là fut parfaitement naturel et féroce. J'aimai, je me donnai tout de suite, et j'aurais aisément tué pour rejoindre celui que j'aimais, je le dis sans métaphore. Cet homme était, je l'ai dit, peu naturel. Cependant, il m'aimait, à sa façon ; un peu paternellement, un peu perversement, un peu pédagogiquement (il se donna un mal infini pour m'apprendre mille choses qui me furent bien utiles, et me renvoya à vingt ans, et munie d'un enfant, me perfectionner encore un peu en Sorbonne). J'étais d'ailleurs un bon terrain pour un pédagogue. Il n'y a pas un homme que j'aie connu qui ne m'ait appris quelque chose. Le premier m'apprit Paris, les choses qu'il faut savoir pour ne pas être ridicule, comment parler, comment écrire, et avoir l'air naturel quand on l'est, ce qui est doublement difficile. Et qu'il y a des vêtements qu'il ne faut pas acheter, même si on en a vraiment très envie. La seule chose qu'il ne put jamais m'apprendre, fut de ne pas m'endormir tôt le soir. Je somnolais aux générales, somnolais dans les boîtes de nuit, somnolais à l'Elysée-Club quand passaient les vedettes... Il dut renoncer à me faire mener une vie vraiment parisienne.

Il y eut un homme qui m'apprit à manger des nourritures délicates et à ne pas rougir sous le beau regard sévère des maîtres d'hôtel. Il y eut un homme qui m'apprit à manger des frites sur des nappes en papier tachées de graisse et à répondre aux lazzi des hommes en bleus, dangereusement joviaux. Il y eut un homme qui m'apprit à voir de la peinture, et une femme aussi qui m'apprit à en parler (un peu). Le monde était plein d'objets délectables. J'appris les voitures, et aussi les scooters derrière des jeunes gens gentils et ridicules de Saint-Germain-des-Prés. J'appris à fumer et un peu à boire. Mais comme je n'en éprouvais pas le besoin, je ne bus jamais dans des proportions vraiment romantiques. J'appris à tutoyer, dans des chambres d'hôtels, et j'appris une grande bienveillance universelle pour les hommes, suants ou toussants, beaux ou laids, bronzés ou blêmes, qui tous fumaient après l'amour. Cette bienveillance, je ne l'ai jamais oubliée, passé le temps des hôtels borgnes aux ascenseurs grinçants, au papier mural décollé. Leurs sujets de conversations, politique ou football, rarement littérature, leur goût pour les terrasses de café, leur fierté de leur voiture ou de leur chemise de soie ou de nylon, et avec ça les trous dans leurs chaussettes, et quelquefois les ongles douteux... J'appris tout cela, et je l'aimai. J'étais la Mousarion de Valéry Larbaud (ne fréquentant pas Lucien, je laisse à Larbaud de me l'avoir révélée), « douce et amie de l'homme ». Et pour n'être plus que la femme d'un seul homme, je n'oublie pas ces hommes désarmés dont aucun n'était absolument indigne d'être aimé.

J'appris tout cela, ai-je dit. Ensuite, je rencontrai mon troisième amour, qui m'apprit à me servir de ce que j'avais appris. Mais je ne parlerai pas de cela. Tout le temps que j'apprenais ces choses, mon premier amour se mourait, s'asphyxiait lentement. Cela dura plusieurs années, il avait la vie dure. Je pleurais quelquefois de sentir quelque chose d'impalpable s'amenuiser et disparaître entre mes mains, sans savoir si je désirais vraiment le retenir. Ses aventures brèves, les miennes que d'abord j'avais acceptées sans réflexion, nous séparaient dans le temps. Je n'aurais pas pris plaisir à en parler : nous nous taisions donc. Ce silence était une déchirure qui lentement séparait en deux l'étoffe de notre vie. Je l'admirais, je l'aimais encore, que déjà il était un autre, comme le voyageur auquel on écrit est un autre que celui — il y a une heure à peine — qu'on a quitté sur le quai de la gare.

Je pouvais faire encore des tentatives de rapprochement, il pouvait, à sa façon, les accepter, c'était des briques accumulées sur un chantier abandonné, c'était des matériaux dont on ne ferait rien ; inconsciemment, de chacun de ces gestes, j'espérais le plaisir, le soulagement que j'avais à accumuler les mots qui feraient un poème, les observations qui serviraient à un roman. C'était sans doute parce qu'était passé le premier élan que cet amour me donnait un sentiment d'inutilité. Mais le jour viendrait où tous ces élans accumulés, répétés, seraient eux aussi matériaux abandonnés, chantiers vides, déprimantes ébauches et gracieux échafaudages. Je sentis confusément que j'avais envie de penser à autre chose, à quelqu'un d'autre. En partant en voyage, je laissais cet amour derrière moi. J'espérais vaguement que je ne le retrouverais pas au retour, que quelqu'un m'en aurait débarrassée, que la maison serait vide. Elle le fut.

Et pourtant, j'avais aimé cet homme. C'était un homme véritable, courageux et intelligent. Je l'avais admiré et craint. J'avais été fière de sa force et de son intelligence, et j'avais souhaité le voir triompher des autres hommes. J'avais détesté ceux qu'il détestait et aimé ceux qu'il aimait. J'avais répété ses paroles sans les comprendre et porté les vêtements qu'il choisissait sans les aimer. J'avais suivi ses conseils et adopté ses principes. Que pouvais-je faire de plus, étant ce que j'étais ? Et d'où venait qu'un tel amour m'ait fondu entre les doigts ? Que ce fussent ces principes, adoptés par complaisance, par confiance, par amour, qui nous séparaient maintenant ?

Et en moi, si peu consciente, si peu réfléchie, ce besoin d'utilité, de durée, d'architecture, d'où venait-il ? N'était-ce pas de ce travail chaque ma-

tin consciencieusement accompli, depuis l'adolescence, qui par ses exigences et ses joies, m'ensei-
gnait d'autres exigences, me donnait le besoin
d'autres joies ? Mon ami d'alors aimait à me voir
travailler. Il aimait l'ordre et l'application, et le
meilleur de son amour pour moi était dans ce
désir qu'il avait de ma « réussite ». Mais le meilleur de son amour luttait contre le pire, et enfin
le détruisit. Il ne fallait pas, mon ami d'alors, qui
auriez pu être le seul, m'apprendre à construire,
à organiser, à créer. Il ne fallait pas approuver la
patience, l'application, la discipline. Il ne fallait
pas m'apprendre à écrire, mon ami dont le nom
me fait, me fera toujours un peu mal, si vous ne
m'appreniez pas aussi à aimer. L'ordre est conta-
gieux.

DEUXIÈME PARTIE

Le patron est massif, un roc bleu délavé à arê-
tes de graisse dure — les plis du menton, par
exemple, carrés, carrément carrés, sans aucune
concession à la mollesse, d'un assez bon style —,
les bras épais de graisse dure, jaune, serrée, d'un
beau grain, le ventre arrogant sous le tablier, sans
rien de l'idée de faiblesse (gourmandise, paresse)
ridicule et un peu touchante que peut évoquer
habituellement un ventre, non, un ventre de pierre, et jusqu'au tablier qu'une crasse javellisée fixe
immuable dans ses plis : le patron est monolithi-
que, posé là comme une pierre par un décret de
nature, sa tête trop grande en provenance de l'île
de Pâques, les traits simplifiés, et noirs, démesu-
rés dans la demi-nuit de la salle, sa bouche énorme
à angle droit, et cet œil sans regard surtout, un
rond, un simple rond. Rude divinité de l'absurde ; du moins il veut l'être et dans les grands moments de sa colère, la voix tonnante éructant ses
oracles, lancée hors du masque impassible, il y

101

parvient, annule rides révélatrices, frémissements
humains, jusqu'aux gestes qui le rendraient à son
sens accessible : les poings fermés mais non ser-
rés, retombant de chaque côté du ventre en pointe, les yeux vides des statues, la bouche ouverte
en porte-voix au-dessus des plis du menton, tout
entier, il se fait pierre imprécatoire.

Il faut voir le fonctionnement de cette machine qui s'ébranle. Petit matin ; gestes du culte :
torchon gras passé sur le bar, sciure répandue,
que balaiera la geignante Perséphone, épouse que
le lit retient, et qui apparaîtra bâillante, crustacé
breton aux yeux embrumés ; premiers cafés, premières paroles ; le patron s'affirme patron, se décrit avant de se mettre à exister, comme il contemple un peu le neuf appareillage de néons avant de
l'allumer d'un geste créateur.

Monologue du patron.

— Moi, je me soigne. Le bistrot a la vie courte.
Il ne se soigne pas. Moi, je me soigne. D'abord,
le steak saignant le matin. (Il tourne sa grande
tête d'un geste de défi, mais personne ne le relève.)
Le matin. Et du lait. DU LAIT ! Avec ça, je dé-
marre. J'en vois, ici, depuis 7 heures, des petits,
des bilieux, des mal-foutus. Tu veux un blanc ?
En voilà. Un pernod ? Je te sers. Un rouge et qui
déborde ? Claque ton foie, je m'en fous, c'est toi
qui paies. Moi, je bois du LAIT ! Hein ? A midi,

102

les patates, le plat cuisiné, oui, mais sans vin. Ça vous la coupe. Le bistrot, il accepte des verres, il fait ami-ami. Pas *moi* ! Si tu veux un verre paie-le et moi je paierai le mien. Hein ? Faut pas me chercher, je fais mon boulot, le reste ce n'est pas mes oignons. S'il n'y avait que moi, y aurait pas tant de bagarres dans le monde. Chacun chez soi et je te les boucle. Pas contents ? Une bombe dans le tas. Ni vu ni connu. Tous ces adjudants, ils bricolent.

Terminée sa gymnastique oratoire, il nous gratifie des néons. Une ombre furtive, dame d'un certain âge à cabas, pénètre dans la salle, hésite, profite de la manœuvre complexe des machines à café pour se glisser vers la tentation des lavabos. Mais l'omniprésent patron lentement se retourne et dans un crescendo savant, sa belle basse s'élève peu à peu.

— Et si je vous pariais qu'elle ne consommera pas ? Je connais ce genre : ça ne manque pas, dans le quartier. Ça porte des gants, ça prend des airs, et ça ne consomme pas même un malheureux café. Attendez voir un peu.

Le silence accueille la réapparition de la dame au cabas, effarouchée par tant d'attention. Elle se faufile entre deux tables, passe devant le bar en courbant les épaules (c'est une dame d'une cinquantaine d'années, décemment vêtue, décemment pourvue de lunettes, de gants et d'une ombre de moustache), heurte un consommateur, prend un air offensé et sous l'égide de cette attitude, bat en retraite avec une habileté stratégique. Lentement, le patron promène un regard satisfait sur son auditoire. (Un mécano au bar, deux messieurs à serviette et un couple d'amoureux dans la salle. Et moi, dans un coin, avec mes papiers.)

— Exploiteuse ! Qu'est-ce que je vous disais ? Pas même un café ! Pas même un verre de vin ! Ça vous dégoûte de vivre ! D'ailleurs, un verre de vin, ça ne ferait pas mes frais. Et l'eau ? Et le papier ? Les waters sont tenus, chez moi ! Et la bonne ? Et le dérangement ? Chaque fois qu'on passe par-là (il y a deux entrées), on me fait un courant d'air sur les pieds. Et elle consulte peut-être l'annuaire, qu'est-ce que j'en sais ? Il est rangé là, je ne peux pas le mettre sous clé, mais il est là *pour les clients !* Nuance ! Et (*le comble*) elle use peut-être du savon ? Oui, monsieur, ça va jusque-là ! Il y en a, de ces bonnes femmes — c'est presque toujours des bonnes femmes, un homme n'aurait pas ce culot —, il y en a qui se lavent les mains ! ! ! Pourquoi pas dans ma baignoire, tant qu'elles y sont ? Ah ! tant qu'il y aura des juifs en France (*ou : des bicots, selon le jour*) !

Le voilà parti dans l'engrenage de sa journée. Et moi. Car j'attends patiemment ces premiers cris (inévitables) pour m'engager dans ma journée à moi. Premier café (ou thé, *selon les jours*), première cigarette ; je sors des papiers de ma serviette, le juke-box ne me gêne pas trop, on s'y fait, je dérive loin du patron. De temps en temps, une phrase plus forte me fait lever la tête ; diversion, petit repos. Le patron me ravit toujours, comme ces phénomènes de la nature dont on ne se lasse pas de constater, *de visu*, qu'ils existent vraiment (arc-en-ciel, orage, marée).

A un client qui se plaint que le café soit mauvais : « Et pourquoi vous ne le prenez pas chez vous, hein ? » A un passant qui proteste contre un renseignement erroné qu'il aurait donné la veille : « Si cette rue existait, elle serait où je vous l'ai dit. Si elle n'y est pas, c'est qu'elle n'existe pas. » Voilà la question résolue, comme toutes les questions que daigne aborder le patron. Il a la passion du définitif, de l'absurde, du point final. Cette passion l'entraîne à des subtilités hardies, à des raisonnements qui font rêver. Un client conteste-t-il l'un des aphorismes favoris du patron : « Les flics, c'est tout salaud et compagnie », celui-ci rétorque sans trouble : « La preuve, j'ai un ami qui est flic. Eh bien, c'est un ami, mais c'est un salaud. » Qui peut répondre à un tel argument ? Personne. Le calme règne en Absurdie, et le patron trône à son comptoir, débitant en même temps que le café, délivrant en même temps que le ticket, au joli bruit de la caisse enregistreuse, définitions, solutions, appellations, tout cela fixé une fois pour toutes, inscrit dans on ne sait quel code mystérieux, quel Livre de Sagesse, immuable comme ses traits, sa voix, sa vie. En dehors du Code, signes particuliers, néant. « Vous êtes une artiste, vous ne vous occupez pas de ça, vous. » J'acquiesçais, peu soucieuse de controverse. Pour moi, d'ailleurs, la redoutable divinité se fait tutélaire, parfois même lyrique. « Ah ! Vous êtes bien heureuse, le nez dans vos papiers, vous êtes au-dessus de ça, vous planez... » *Ça*, c'est le prix du café, la guerre d'Indochine (ce n'était pas encore l'Algérie, à l'époque), les impôts et sa fille-qui-s'était-fait-mettre-enceinte, et les jeunesses qui ne voulaient plus servir de bonnes parce que dans les usines, elles étaient soignées il fallait voir comme, et toutes communistes... J'avais de la chance, j'étais en dehors de « ça », de ça qui était « la vie, quoi », et je lui foutais la paix pendant qu'il s'en mêlait, et collait ses étiquettes, collait, collait à tour de bras. « Juifs, bicots, flics, artistes, politiciens, vendus, salauds », et d'autres, tous soumis à des règles immuables et à un déterminisme bien satisfaisant. Signes particuliers, néant. Pourquoi pas ?

Moi-même, j'avais un code, bien primaire, sans doute simpliste, réduit à presque rien par bannissement de tout ce que j'avais pu çà et là apprendre et désapprendre. Un code pourtant, et qui avait quelque rapport avec les langages que l'on m'avait appris. Mal et bien, travail, bonne et mauvaise conduite... Pour moi, la bonne conduite, c'était le travail, le lever à 6 heures et demie, le crayon sur le papier ; le mal, le journal sur lequel on traîne avant d'avoir travaillé, la matinée perdue à bavarder, et toute la journée suivait — ma discipline déjà provenait, en fait, de mon peu de vertu, ma précipitation à me lever, à me jeter sur la feuille blanche, de mon extrême fragilité : la

moindre tentation, roman policier qui traîne, promenade trop prolongée dans les rues, jeu esquissé
avec mon fils, se faisant aussitôt divan pour vau-
trer ma paresse. Ainsi, ma vertu procédant de
mon manque de vertu, je travaillais plus que bien
d'autres, c'est vrai. Le travail terminé, je flottais
dans les airs, je me diluais, je n'existais plus, entre moi et moi-même plus aucun rapport, entre
la matinée longue et laborieuse, et la fin d'après-
midi affalée dans un cinéma, gaspillée en bavar-
dages stupides, prolongée parfois (parfois, non
toujours, non souvent, non trop ni trop peu : ni
dolce vita, ni blouson noir, ni lutte vertueuse,
comme cela se trouvait) dans un hôtel à cinq cents
francs l'heure (le problème financier, aussi on vi-
dait ses fonds de poche, amis peu fortunés — il
fallait encore acheter des cigarettes) et quitté en
hâte, d'ailleurs. Car, tout d'un coup me rejoignant,
la hantise de ne pas dormir assez, de perdre une
matinée de travail, jetait un pont entre le soir et
le matin, recollait deux moitiés de moi-même, me
précipitait vers le métro proche, et c'en était fini
de cette « liberté », ou plutôt de ce flottement.
On finit par se lasser d'être

coupé en deux.

Oui, parce qu'en somme, comme, à 7 h 15, au
café Longchamp, avenue de Neuilly — où j'écri-

vais mon premier livre dans le tintement du billard électrique, le sifflement de la machine à café, l'odeur de la sciure et du vin blanc de l'aube (l'un après l'autre, les consommateurs s'engloutissaient dans l'air froid du matin — un au revoir sur le seuil, je revois leurs têtes entourées de buée comme un saint de son auréole) —, j'essayais patiemment sans trop savoir pourquoi, de faire se rejoindre les mots et leurs sens, comme je traçais signe après signe, comme je décidais que ceci était à refaire, cela à supprimer, en fonction, tout de même, d'un certain critère de valeur admis une fois pour toutes, est-ce que je ne reconnaissais pas implicitement la nécessité de me rejoindre un jour moi-même ? Du moins, je sais que, nulle part, je ne me sentais davantage *moi* que dans ces petits cafés, bruyants ou abandonnés, cordiaux ou moroses, où j'étais un consommateur comme les autres, assis à la table du fond, figurant dans ce tableau, rouage dans cette machine, remplissant avec angoisse et sécurité ma fonction qui était d'écrire. Sécurité : ce n'était pas ça, ça ne le serait jamais, il fallait recommencer, c'était mauvais, mais *on était là pour ça.* Pour recommencer, se dire que ce n'était pas ça, et recommencer encore. L'angoisse ne venait pas de ça. Elle était vague d'ailleurs, si vague, née du contraste entre cet effort patient, régulier, rythmé presque, et du flottement absurde qui tout à coup suivait, libérateur, vraiment agréable, le ballon s'élevant en l'air, doucement, sans efforts, sans amarre ; était-ce même une angoisse ? Non, je n'y pensais pas, j'étais sans pensée, assise au cinéma à côté d'une amie, bue par l'écran, mobilisée tout entière par la satisfaction de mâchonner un caramel, assise à la bibliothèque de la Sorbonne, absorbée par la gymnastique des dates (j'aimais bien ça), me promenant au Bois, à Bagatelle, je regardais les fleurs, rien que les fleurs, les fleurs sans pensée esthétique, sans pensée, la couleur, la forme des fleurs, une tulipe jaune, cette dureté, cette transparence, cette fragilité raide, cette vigueur, la sève, la tige grasse, la racine goulue dans la terre humide, épaisse nourricière, j'étais tulipe, j'imaginais, non je sentais mimétiquement une envie de terre humide où enfoncer mes pieds, une envie de soleil, pas de soleil immatériel, de soleil-idée, mais de soleil dégoulinant, sucré, un miel de soleil engourdissant, mûrissant, pourrissant. J'étais là, vivante, morte, végétale, et ce fantôme de malaise, cette ombre de malaise très haut au-dessus de ma tête, comme un nuage dans le ciel. Pas bien gênant, en somme, et quel rapport avec une pensée ? Aucun, strictement aucun. Tout était bien coupé en deux si on voulait, ce nuage même existait-il (ce pourrait être un mal au ventre, une légère migraine), était-il quelque chose qui m'appartenait davantage qu'une humeur ensoleillée du ciel, une langueur de grippe ? Quand je travaillais, il n'y avait pas de nuage. Quand je ne travaillais pas, il y en avait un, voilà. Un autre moi flottant comme un ectoplasme, peut-être. (Je me demande s'il y a un nuage au-dessus du patron. Peut-être que c'est ce qui cause sa perpétuelle colère. Et je sais ce que ce nuage peut avoir d'apparemment rhétorique : « L'œil était dans la tombe et regardait Caïn. » Toute la différence est dans l'intention : l'œil regarde, alors que le nuage se contente de flotter.)

Rien de plus innocent qu'un nuage, tant qu'on n'y fait pas attention. Cela plane, cela ne fait pas de bruit, à peine de l'ombre. On peut très bien ne jamais s'apercevoir qu'on est suivi par un nuage. Rien de l'œil omniprésent. Il n'y a qu'à ne pas lever la tête. Il y a des gens qui sont doués pour ça. Une fois qu'on l'a repéré, par volonté ou par accident, évidemment c'est plus ennuyeux. Il ne se laisse pas chasser, il est là, bête, béat, gonflé de pluie et d'emmerdements... Ce n'est pas un symbole, ce nuage, on le voit bien ; c'est... c'est un *machin*, comme dirait Jacques Perret. Ce n'est plus moi, c'est le patron qui parle.

— Moi, il ne faut pas m'emmerder, dit-il pesamment. Je suis brave type, mais il ne faut pas m'emmerder... Tous ces machins...

Les *machins*, ce ne sont pas, comme pour d'autres, les organismes internationaux, ce sont les distinctions, les « finasseries », les rapports... « Toi, t'es pas du quartier, alors écrase. » (Réponse définitive, argument-massue asséné à quelque discoureur politique qui n'est pas de son avis.) Mais le client, subtil et méprisant : « Qu'est-ce que ça veut dire, hein, du quartier ? Mon argent non plus, il est pas du quartier, et tu te le farcis ! »

Le patron reste cloué, en proie à un malaise qui n'est pas sans parenté avec le mien, lorsqu'une question en apparence insoluble se pose. Son lourd cerveau tourne et retourne la facétie en apparence inoffensive, mais sous laquelle il devine un venin subtil. Méfiance, colère impuissante bientôt, puis refus. Ce client retors sera, selon l'heure et l'humeur, qualifié de « flic », de « coco », de « juif » ou de « sidi ». L'important est d'isoler le machin radioactif, la phrase qui ferait réfléchir, dans l'enveloppe isolante d'une définition bien close.

Pourquoi toujours parler du patron ? C'est que tous les jours il se retrouve devant moi, assis derrière sa caisse, derrière son ventre, ensaché de toile bleue, affirmant de toute sa graisse dure, congelée, divisée en kilos et répartie, avec ordre, le long de sa massive personne, affirmant de ses jambes-piliers, affirmant de son ventre agressif, affirmant de son torse carré, de sa grande tête jaune, affirmant de ses bras lents, solennels, où le point final c'est le poing (souvent abattu sur le comptoir sans fébrilité, ou s'épanouissant en paume ouverte, doigts écartés en évidence), affirmant non la bêtise, mais le désir, la détermination d'être bête. Je l'avoue, le patron me fascine.

Rien que sa façon de dire « aller au saucisson », comme on dit « aller aux fraises ». C'est le seul moment de la journée (il se situe vers 10 h 15 du matin, moment d'accalmie, entre les cafés tardifs et les apéritifs précoces) où sa voix se nuance d'émotion poétique. Et la patronne, plaintive et mal peignée, traînant deux heures derrière le rideau en fil écru crocheté (l'un des derniers de Paris) pour émettre de temps en temps, de sa bretonne et lente voix : « Tiens, un nègre... Comme il est noir... » Et puis, considérant à ses pieds l'eau boueuse que le torchon répand en noirâtres rigoles (cette femme inspire, excusez-moi, l'alexandrin) : « J'aime mieux avoir l'âge que j'ai, murmure-t-elle ophélienne, que d'avoir à vivre... »

Malade, volontairement malade, perpétuellement affligée de rhumes, douleurs, ses souffrances — comme la bêtise du patron — lui servent d'alibi, de *boudoir*. Elle s'y retire, entourée d'une petite cour de rhumatismes, névralgies, insomnies, contre lesquels, avec la nonchalance des reines de beauté, elle encourage mollement des rivaux : *Belladone*, *Pyramidon*, et d'autres *Aspiriformes*, lui font une imaginaire société de loin préférable à celle de la crémière provocante ou de l'humble marchande de journaux au doigts crevassés. Elle les voit à peine, tandis que l'une croise haut ses jambes blanches et grasses, que l'autre réchauffe en soufflant ses mains rouges. Mais elle daigne leur faire la gazette, à la façon de Saint-Simon, plus pour elle-même que pour ses auditrices incapables de la comprendre : « J'ai eu hier soir une insomnie ! J'ai d'abord pris Belladénal, il me fait un effet, d'habitude ! Rien ! Alors je me suis dit : c'est Pyramidon qui me tient éveillée, je l'ai pris trop tard, et j'avais déjà pris Sulfarlem à 2 heures, parce que le ris de veau que je n'avais pas digéré hier... »

La rousse crémière feint d'écouter, et guette le consommateur distrait qui ne voit pas sa jambe toujours plus haut exhibée jusqu'à l'endroit où le bas luisant serre trop la chair molle. Mais la marchande de journaux, elle, ne perd pas un mot de l'éblouissante chronique, et murmure, gagnée par ce rêve pour elle inaccessible : « Ah ! Quand on est malade, on ne s'embête plus... »

Tous les jours, ou presque, je suis là, essayant patiemment de faire se rejoindre les mots et leur sens, essayant de trouver — de retrouver — un équilibre, des proportions, une vérité, je ne sais... Tous les jours. C'est l'époque où je peux répondre, quand on me demande : « Et quand vous vous arrêtez, tous les jours à la même heure, vous ne pensez plus à votre travail ? », où je peux répondre *non*, avec sincérité. Avec sincérité, et un peu de fierté même. Car s'il est vrai qu'une fois passé midi, je ne pense plus à ce travail dont je ne connais pas le sens, dont je ne définis pas le but, il est vrai aussi que je ne veux plus y penser. Cloisonnement, porte refermée de ce café ou d'un autre, où Prudence, et Patience, et Persévérance, belles figures du *Roman de la Rose*, attendent avec Attention leur amie, les lendemains matin à odeur de javel. Attendent, peut-être, avec un Moi allégorique, un moi-entre-7-heures-et-11-heures-du-matin,

alors qu'un moi-d'après-midi, délivré de toute angoisse, de toute préoccupation, flotte le long des
heures, comme on dort...

Le patron, la patronne s'en vont ainsi toute la
journée, dangereux somnambules, prêts à mordre
si on les réveille. Je les regarde sans les réveiller.
Je me regarde (à partir de midi) sans me réveiller.
Cela va tout seul, puis, moins bien, puis plus du
tout. Il faut une volonté de fer pour s'enfermer
dans le sommeil : surtout quand, chaque matin,
l'habitude est prise de se réveiller un moment.
Toujours ce double jeu comique. Je regardais le
patron le jouer, je le jouais moi-même, et j'espérais encore m'en tirer. Et j'osais parler de mensonge ! Et j'osais décrire le menteur ! J'osais
l'imaginer, retranché dans sa chambre intérieure,
tissant son cocon, bien à l'abri, un rat dans son
fromage, insonorisé, désodorisé, n'admettant
qu'objets et que pensées coupés de tout rapport
avec la vie, fabriqués par lui seul, avec un maté-
riau par lui seul fourni...

Il écrit un livre, vit un amour, adopte un parti
ou une religion ; moins épris des formes, il fabule,
se fait de l'inconséquence une règle. Mais quel que
soit son décor, il y est toujours bien calfeutré,
protégé par sa carapace, quelle qu'en soit la forme
ou la couleur. Chaque excroissance cache un secret, sans doute (bien pauvre et bien puéril parfois), chaque nuance en cache une autre : mais
que le résultat est varié ! Quelle curiosité zoolo-
gique nous anime devant ces cuirasses en forme de

tatou, de lézard, de licorne — et parfois, presque, quelle admiration ! Car le mensonge a ses grâces, son esthétique. Parfois, il est presque inspiré, un léger gauchissement seul le dépare de la vérité ; grotesque, proliférant, il a la richesse luxuriante des gargouilles, il imite à s'y méprendre les données de la nature, et se fait déterministe pour mieux rester inexpugnable. Mais il est clos, voilà son caractère essentiel. Il est clos, écrivais-je, comme j'eusse écrit d'un animal, il est brun, d'un objet, il est haut. Et j'écrivais aussi : le mensonge est sur un seul plan, oui, littéralement il aplanit, il nivelle, il simplifie, oui, même quand il prolifère, abonde et se fait Protée ; il simplifie parce qu'il n'a de *rapports avec rien*.

J'écrivais cela, et je l'écrivais au café, et j'écrivais un livre qui s'appelait *Les Mensonges*, et je projetais un livre qui s'appellerait *L'Empire céleste* (à cause de cette parcelle de vérité qu'il ne semblait que chacun porte en soi : mais peu de gens comprendraient ce titre), et je travaillais dans ce café où l'on me disait : « Alors, toujours dans l'évasion ? » Et chez moi la bonne, parlant de mon mari : « Il oublie tout, oui, c'est vraiment un artiste... »

Et je ne me disais pas : « Est-ce que ça n'a de rapport avec rien, un artiste ? » Je ne me disais pas, d'ailleurs : « Qu'est-ce qu'un artiste ? » ou même : « Qu'est-ce que l'art ? » malgré les questions qu'on me posait à ce sujet. Pourquoi aurais-je eu un avis sur l'art ?

Parce que c'était mon métier ? Mais (me disais-je alors) c'était mon métier aussi d'avoir un mari et des enfants, de lire des manuscrits, de faire des menus pour la maisonnée, et s'attendait-on à ce que j'aie des théories là-dessus ? Non, n'est-ce pas ? Alors ?

Espérons pourtant être plus écrivain que ménagère. Je disais : « Je fais cela comme je ferais des souliers. » C'était beaucoup d'orgueil. Je pense encore : « J'ai choisi de faire cela, comme j'aurais choisi de faire des souliers si j'avais cru n'être bonne qu'à faire des souliers. » Je pense aussi : « Si, n'étant bonne qu'à faire des souliers, j'avais choisi d'en faire, je serais toujours moi-même, je me vaudrais bien. » J'ai choisi de faire des romans. J'ai choisi de faire *mes* romans. On verra bien. Il ne faut toujours pas me demander d'avoir une opinion sur l'art.

Tout au plus, à ma façon habituelle, puis-je avoir à ce sujet quelques malaises à éclaircir. Quand je lis quelque chose « sur l'art », par exemple, il m'arrive fréquemment de ressentir le même malaise imperceptible qui, devant un visage entrevu ou une phrase entendue, m'indique que « je ne suis pas d'accord ». J'ai pris l'habitude de réfléchir à ces petites dissonances, et réfléchir, sur quoi que ce soit, entraîne plus loin qu'on ne pense. Je ne puis me dissimuler que cette habitude de réfléchir s'aggrave. Et les multiples petits malaises sur lesquels on bute dans une journée, un fait divers lu dans un journal, une intonation qui vous retient dans la voix d'un ami, un acte commis sans y penser, une couleur, un son, une phrase lue dans un livre, tout cela demande maintenant à être examiné, vu, compris et classifié peut-être. Sinon, mis de côté, repris patiemment, demain ou dans vingt ans, au jour où tel petit fait, enseveli depuis l'enfance, émergera enfin et, trouvera sa place enfin dans un paradis organisé.

J'aime, j'ai toujours aimé la précision. Je me souviens, enfant, de mon laborieux enchantement devant des opérations qui « tombaient juste », qui, quoi qu'il advînt, tomberaient toujours juste. Toujours ! Une addition était donc posée pour l'éternité ! Je m'enchantais de cette idée. Et cet enchantement, le jour où j'ai commencé à *voir* la peinture, je l'ai retrouvé au Louvre devant une haute vierge byzantine, évidente comme un nombre, autour de laquelle s'étageaient, dans un ordre intangible, de grands anges mathématiques. C'est le mot qui me vint, et qui était pour moi un mot d'adoration. A côté de l'évidence de l'addition, je découvrais une autre évidence. Et c'est ainsi que je me représentai immédiatement la vérité : une opération mathématique, mais dont les nombres auraient une couleur. Une évidence, toute simple, mais inimitable, inexplicable, parce qu'on ne pourrait que l'énoncer.

Une évidence... Et j'avais cru précédemment que la vérité n'était pas la même pour tous, que le péché, que la vertu (si l'on peut employer encore ces bons vieux mots désuets depuis *Le Roman de la Rose*) n'étaient pas pour tous identiques. Est-ce là une certitude mathématique ? Voilà une contradiction dont je ne prenais pas aisément mon parti. Ma logique, ma chère logique, me fuyait-elle ?

Mais opérons selon mon habituelle méthode, qui consiste à n'en avoir pas. Laissons l'acrobate suspendu au-dessus du filet, entre deux trapèzes, et restons au Louvre en parlant de l'Art. Qui sait si nous n'y trouverons pas l'élan nécessaire à la reprise du saut interrompu ? Marchons, au milieu des gardiens hurlant d'une salle à l'autre des confidences gastronomiques, au milieu des petites filles qui pouffent devant une anatomie révélatrice, des dames à lunettes, un peu boulottes, à la jupe usée et trop collante, qui expliquent en allemand, anglais et norvégien qu'on ne sait pas pourquoi sourit la verdâtre Joconde. (Mais que l'arrière-plan d'eau verte et de rochers ait une signification freudienne, je l'ai appris, qui l'eût cru, par ces dames-là, martelant dans d'étranges langages cette syllabe pour tous reconnaissable : *Sex*). Il y a toujours moins de bruit autour des Primitifs. Pourquoi ? Par bon goût, peut-être. J'entends pourtant un jeune Américain murmurer, en entraînant sa femme : *O, they are all alike. They're all saints...*

J'aime ce petit « Calvaire » de l'Ecole de Sienne, son immobilité voulue. Ce n'est pas une représentation du Calvaire, c'est une explication du Calvaire. Une phrase me revient alors à l'esprit, une de ces phrases-à-malaise, qui attendent dans ma mémoire, avec le sourire du chat d'*Alice au pays des merveilles*, d'être un jour par moi résolues. « Le grand art, c'est celui qui nous fait dire : comme c'est ça, alors que précisément, ce n'est pas ça, mais de l'art. » C'est Claude Roy, si souvent d'une admirable précision de poète, qui un jour écrit cette phrase et me laisse perplexe. Elle semble bien lui donner raison, cette sainte femme qui détourne la tête, non pas avec horreur, mais avec un geste qui *signifie* l'horreur. Et ce soldat désignant la scène du doigt, comme l'acteur qui termine le spectacle et en tire la morale. Et cette Vierge traditionnellement effondrée, qui ne souffre pas (comme une Vierge Renaissance pourra souffrir, dans sa chair et dans la nôtre), mais qui figure, qui représente (mais peut-être aussi *incarne ?*) une souffrance universelle.

Elle semble bien lui donner raison, et pourtant... Ces petits personnages ne sont pas, certes, des êtres humains : ils désignent pourtant des êtres, des sentiments humains, comme la lettre A désigne un son, mais n'en est pas un. Est-ce là l'art ? La lettre A serait alors l'art et le son A, le cri A, serait la vie ? Le verbe ou la couleur serait l'art, et la chose innommée, la chose brute, la vie ? Mais pourquoi pas le contraire ? Ou les deux à la fois ? Ou le rapport de l'un à l'autre ? Plutôt cela, oui. Plutôt cela.

Qu'on me pardonne ces lentes approches. Je cherche de bonne foi l'objet de ma recherche. Et ma recherche ne m'empêche pas de contempler avec le plaisir le plus spontané ce *Banquet d'Hérode*, une toile minuscule du XVᵉ siècle, où toute cette vieille histoire bien vivante ne se déroule pas, mais existe dans le même temps, abolissant le Temps. Car, tandis que Salomé, sous le baldaquin vert absinthe, vêtue d'un rose douloureux, danse encore (danse, immobile, saisie par un invisible objectif, danse et *est* le mot danse, simultanément — un jambage svelte, délié), le bourreau gris lève déjà son sabre, à gauche, pour décoller la tête déjà sanglante qu'apporte, au milieu du tableau, un soldat bleu à jambe rouge, d'un air avenant.

« Et ce n'est pas ça du tout, mais de l'art... » Vous voyez, Claude, que je vous fais la partie belle. Tout de même, cette phrase toujours m'arrête, me laisse rêveuse. Elle isole l'art, en fait une chose à part, le cloisonne, le cantonne dans sa « spécialité », à la façon de Guy isolant la poésie, lui interdisant de se poser jamais, à la façon des gros mangeurs de la politique imposant silence, avec des rires épais, aux « intellectuels », à la façon, Claude, de ceux que vous n'aimez pas, et que je n'aime pas, et qui se barricadent derrière des aphorismes tels que « la politique, ce n'est pas de la morale », « l'art, ce ne sont pas de bons sentiments ». Eternel alibi de la spécialisation. Et de « ça », qui n'est pas de l'art, qu'est-ce que c'est ? La vie, la réalité. Autre chose. Non, cette phrase ne me plaît pas. « C'est du roman, cela, ce n'est pas la vie », disent aux jeunes filles les parents sages.

Revenons aux parquets cirés du Louvre. Un philosophe a noté bien avant nous combien peu de visiteurs de musées viennent pour regarder des tableaux. Ils viennent, et en troupe nombreuse, multilingue et bigarrée, pour s'assurer que la Joconde est bien là, où on le leur avait dit, au Louvre, que ce sont bien les Offices qui détiennent *Le Printemps* de Botticelli, et le Vatican qui abrite *Laocoon*. Un regard sur le guide, un regard sur le bas du tableau. (N° 36 633, la Joconde, c'est bien ça) et peut-être, s'ils sont vraiment consciencieux, un coup d'œil d'ensemble pour s'assurer que c'est bien la même Joconde que sur le calendrier de la cuisine, ou la reproduction de la « salle de séjour ». Il y a gros à parier que ces consciencieux petits vérificateurs n'ont pas l'œil beaucoup plus aiguisé dans la vie : ils doivent certainement se dire tout le temps : « Ah ! ceci, ce doit être l'amour... cela, la vieillesse... » Heureusement qu'ils ont des références. Pour eux, sûrement, l'art, c'est une chose, et la vie, une autre. L'art, c'est le N° 33 633 le tableau encadré, accroché dans la grande salle qui sent l'encaustique, et la vie, c'est leur voisine de palier, une dame qui s'appellerait la Joconde et qui sourirait de travers. Et bien sûr, le tableau et la dame, ça fait deux. Un peu simple quand même. Car la dame vue par Léonard (avant qu'il ne prenne son pinceau) et la dame vue par sa voisine de palier, *ça* fait deux aussi, et avec le tableau fini, verni, livré, cela fait trois. Et avec le petit tableau particulier qui s'imprime chaque jour dans la prunelle de son mari, de son amant, si elle en a un, cela fait quatre ou cinq. Mais qu'est-ce qui est vraiment la Joconde, là-dedans ? La-Joconde-dans-la-vie ? (Comme on dit de tant d'actrices : « Oh ! vous savez, *dans la vie*, elle n'est pas du tout comme ça ! ») La-Joconde-mo-dèle-de-Léonard ? La Joconde voisine de palier, la Joconde présidant un dîner d'affaires en face de son mari, la Joconde renversée un jour sur un oreiller clandestin. On sera tenté de dire : toutes ; ou : aucune. Et cela aussi sera trop simple. Ce qui me complique tout, c'est que je ne puis croire que la vérité soit l'envers du mensonge, son con-traire, son ombre ou son soleil. Est-ce qu'il y a une : Joconde-dans-la-vie ?

Voilà tout de même une idée qui me retient. Parce que, en somme, s'il n'y a pas de Joconde (ou qu'elle se multiplie à l'infini des regards), pour-quoi la peindre ? Comment la peindre ? Pourquoi écrire, si l'objet de l'écriture se dérobe, s'il n'a pas d'essence propre ? S'il n'a pas d'essence propre, du moins le peintre ou l'écrivain peuvent lui don-ner une forme, la déterminer ? Mais il faudrait alors supposer qu'eux existent, ou le croient du moins. Et que l'objet peint ou décrit, s'il n'a pas de vérité propre, contient la leur ? Il faudrait tout de même que l'un des deux, peintre ou modèle, existe pour que l'effort du pinceau ait un sens ?

Tout cela est bien ardu pour moi. Je ne doute pas que cela n'ait été, depuis longtemps, tranché par quelque philosophe. Mais ce qui m'intéresse c'est d'arriver à savoir ce que j'en pense, sans le secours d'aucune philosophie. Non que je le dédaigne, ce secours, mais, je le reconnais sans orgueil comme sans humilité, je suis incapable d'y recourir. Je n'ai pas fait de philosophie à l'école, et je n'ai pu m'y astreindre depuis. D'abord, « Quelle nécessité ? » me disais-je au temps de l'innocence. Et ce temps dépassé, il était trop tard pour se mettre à un vocabulaire, et puis je veux suivre mon fil, et voir où j'aboutirai.

Et revenons à ce moment où, la Joconde-épouse, la Jaconde-tableau se confrontent, où l'on a fait entrer le mari, et où il entre en effet, serre la main au peintre, contemple, et s'écrie, charmé (à supposer qu'il l'ait été) : « *C'est tout à fait ça.* » Voilà l'art bien isolé de la vie, d'un seul mot (mais d'un mot de banquier). Car, bien entendu, il sait très bien, cet homme, que « ce n'est pas ça du tout », que sa femme n'est pas cette habitante ambiguë d'une cité lacustre ; il le sait, comme le savent les concierges qui s'extasient devant un coucher de soleil en tapisserie, où brame forcément un cerf empaillé : « Comme c'est bien imité », ou « Comme c'est ressemblant ». Imitation implique artifice. Ressemblance implique dissemblance. Le ravissement provient autant de l'un que de l'autre ; que ce soit *ça*, et que ce ne soit pas *ça*. L'art et la vie. Transposition, artifice, arrangement. Séparation en tout cas. Tout semble le prouver. Cela ne me satisfait pas. Comme tous les cloisonnements, celui-ci me cause un malaise.

Et ce malaise me ramène tout à coup dans une salle de restaurant (celle du Véfour pour être précise), au moment où un maître d'hôtel parfaitement anonyme verse dans mon verre un vin lourd.

J'étais allée déjeuner avec un homme riche qui aimait bien parler. Comme j'aime bien à écouter, cette conjonction me paraissait heureuse. Et pourtant je ne le quittais jamais sans un malaise, que je rapproche du mot « art » parce que je me disais chaque fois (avec cette mélancolie qui naît plus aisément d'une digestion difficile) : « Décidément, je n'aime pas l'art. » Quel sentiment de culpabilité ! Et je le ressens maintenant que j'ai commencé à parler d'art ; j'ai peur d'ennuyer autrui, parce que cela m'ennuie. L'art, en tant que « sujet », ne m'a jamais tellement intéressée, et les gens qui en parlent m'ennuient souvent. Aussi il vaut mieux que je parle d'un

déjeuner avec M. B.,

finalement, cela reviendra au même. Aujourd'hui, tout chez moi se tient et se retrouve. C'est l'agrément et l'angoisse de ma vie. C'est la raison qui me décide à essayer d'y voir clair, enfin. C'est la raison aussi qui me décourage d'écrire ce livre ; en finirais-je jamais ? N'importe, déjeunons. Je déjeune toujours trop bien avec Marcel B. (mais oui, c'est le même Marcel). Ce n'est pas que je tienne tant à bien déjeuner. Je n'y tiens même pas du tout, étant au régime. Mais je sens tellement qu'il tient à « traiter » (il dit « traiter ». « Samedi, j'ai traité Untel », par exemple) somptueusement le pauvre écrivain affamé, que je suis contrainte d'absorber des œufs bénédictine que je déteste et qui me feront mal au foie. Du moins est-il épanoui dès le début du repas. Il a fait les affaires qui l'appellent à Paris, il se détend en compagnie d'un écrivain que lui seul apprécie (car il tient expressément à m'affirmer que mes livres n'ont aucun succès, que lui seul les comprend, me cite la mauvaise critique de X, n'a pas lu celle de Y qui est favorable, mais Y est un imbécile, et d'ailleurs sont attitude en 40...) et enfin, il parle d'art. Il parle d'art par plaisir. Il parle d'art par vocation, si je puis dire. Il a une vocation d'amateur. Il peint un peu, écrit quelquefois, mais sans ambition, ce n'est que pour « décomposer les techniques ». Mais comme amateur, il est imbattable. Il fait le voyage de Leningrad rien que pour voir le musée de l'Hermitage. Il se souvient (moi pas) de ce petit Turner à droite au fond de la petite salle des Offices ; il a vu la veille la dernière pièce d'Audiberti, a trouvé le moyen de passer une demi-heure au Louvre dans les Réserves (qu'on lui ouvre, car il a des relations), où devant le Rubens qu'il faut avoir vu car sans lui on ne sait rien de Rubens ; et puis, à la Galerie de France — il n'a fait qu'entrer et sortir —, il a vu un Manessier qui... Tant de culture, d'avidité à voir, à lire, à admirer sont respectables. Il faut que je me le répète dix fois pour pouvoir le supporter. Enfin, tout de même, s'il n'y avait pas de gens comme cela, qui achèterait des livres ? Et pourtant, je ne sais pourquoi, cette idée ne me fait pas plaisir. Déjà mon foie se ressent des œufs bénédictine, et je vais devoir absorber le canard au sang dont je n'ai aucune envie, mais c'est Marcel qui a fait le menu, car là aussi, il aime à montrer ses compétences. Il ne visite pas que des musées, il visite aussi des caves célèbres, compare un vin à l'autre, reconnaît l'année des crus, ou semble la reconnaître car on ne lui répond jamais non, lorsque, ayant flairé un bordeaux, il déclare au maître d'hôtel qu'il reconnaît bien le montrachet 37. Il parle beaucoup de *l'art de vivre*. Il dit : « Ah ! Le bleu de ce... Ce vin a un bouquet... Le passage merveilleux où... » Il ne le dit pas par snobisme, il aime ce vin, ce livre, ce tableau, il sait pourquoi, il l'explique assez bien, c'est un homme capable de faire un détour de cent kilomètres pour voir une seule toile ou essayer une petite auberge dont on lui a dit du bien. Touchant. Je suis sa petite auberge ; il m'a découverte, il m'aime bien. Je suis sûre qu'il a dit à ses amis de Bordeaux : « Il n'y a qu'une seule chose qu'on puisse lire ce mois-ci, c'est Mallet-Joris. Le passage où... » Et ses amis l'écoutent, sans doute, comme je le fais quand il me dit, avec tant d'assurance, de contentement : « Il n'y a qu'une chose que vous puissiez boire avec ce canard, c'est du... » Je bois. J'aurai très mal à l'estomac. Et des remords parce que

126

je n'ai pas vu l'exposition Manessier, moi qui habite Paris, pas lu le dernier Faulkner (mais Marcel m'en aura fait au cours du repas un résumé si substantiel et complet que je ne le lirai pas, c'est sûr), que je vais rarement au Louvre (quelquefois, quand même, comme je l'ai prouvé plus haut) et que je n'aurai pas pris plaisir à cette conversation sur l'art. Je ne sais vraiment pas pourquoi je continue à déjeuner avec Marcel B., chaque fois qu'il vient à Paris. Je crois que c'est justement à cause du malaise qu'il me procure, et que je n'arrive pas à définir. J'ai une certaine obstination à comprendre qui me tient lieu d'intelligence.

Marcel arrive, agité, bien mis, il aime à être reconnu par les garçons, les maîtres d'hôtel, c'est un trait courant et qui n'a rien de blâmable. Il faut bien qu'il reste quelques plaisirs aux hommes de plus de cinquante ans. Il est ravi de me voir. Il me tend la main, inspecte d'un coup d'œil ma robe, me fait remarquer, avec amusement, qu'elle n'est plus à la mode. Cela ne le gêne pas. Je dirai même : cela lui fait plaisir d'une certaine façon. Il ne lui déplairait même pas de m'exhiber, en haillons, dans une des salles les plus luxueuses de Paris. Ce serait une façon de prouver qu'il est au-dessus de ces contingences, de ce plaisir superficiel qui consiste à se montrer avec une jolie femme bien habillée. Il faut être juste, ces haillons supposés lui seraient aussi un moyen d'affirmer la primauté de l'esprit. M. B. est assez riche,

127

je crois, sans l'être fabuleusement. Mais il ne respecte pas « les valeurs bourgeoises ». Il le dit. Il le prouve : il invite des écrivains, nourrit des peintres, habille un sculpteur qui s'enfuit avec les couverts en argent de la maison de campagne. Marcel ne lui en veut pas. Il trouve cette aventure pittoresque comme il trouve pittoresque que ma robe soit démodée. Pour un peu, il lui reprocherait de ne pas l'être assez. Et il garde le même sourire amusé pour s'enquérir de mes enfants. Si je possédais une nichée de petits guépards, il ne s'en inquiéterait pas autrement. Et il leur envoie, par mon entremise, un paquet (énorme) de cacahuètes — je veux dire de bonbons qui portent l'effigie de la marquise de Sévigné. Le malaise. Cette fois, me dis-je, je vais le saisir, ce malaise qui fuit comme un petit animal dans les bois. « Alors, nous allons faire ce menu. Voyons, je pense que pour commencer, des œufs bénédictine... Vous ne croyez pas ? Avec un vin blanc, mais pas un de ces vins qui... »

Il n'y a qu'à le laisser faire. Après tout, c'est son métier, à cet homme. Je ne vais pas lui apprendre à composer un menu, alors que de toute évidence il s'y connaît mieux que moi. Je le regarde. Grand, mince et sec, gestes un peu exubérants ; débit chaleureux, œil vif, aisance, un peu trop vite les grands sujets, un peu trop vite la cordialité, un certain manque de pudeur peut-être ? Mais s'il est enthousiaste, après tout... Les yeux vifs, mais fuyants. Non, fuyant implique une idée de sournoiserie, et ce n'est pas cela. Les yeux vifs, mais... Il regarde en face, il regarde même avec intensité, parce qu'il s'efforce de convaincre. « Il faut absolument, mais absolument que vous alliez dès demain... Mais enfin, qu'est-ce qui vous retient ? Ah ! si j'avais votre chance, être à Paris, et... » Il est si évidemment inutile de lui expliquer qu'on a mal à la tête, qu'on n'est pas disposé tous les jours à voir des chefs-d'œuvre, que le petit a la rougeole... Essayons pourtant...

— Vous comprenez, Marcel, il est difficile, avec mes obligations... des manuscrits à lire... les enfants... figurez-vous que ma petite Pauline...

J'ai tort de le juger si vite. Il s'intéresse aussitôt : il pose même des questions. Comment, je n'ai que trois pièces ! Et je puis travailler ? Au café, ah, très bien. Et mes enfants se portent mal, quel tourment ! Non, pas si mal que cela, tout de même. Et mon appartement, encore qu'un peu exigu, n'est pas absolument le taudis qu'il imagine. Et mon mari n'est pas contraint de peindre dans la pénombre, entre un berceau et une cuisinière ; j'essaie de ramener les choses à des proportions moins émouvantes. Mais il s'empare aussitôt de mes mots, les répète, et ils prennent dans sa bouche un parfum différent, un son subtilement dissonant... Le malaise. Incompréhensible.

— En somme, vous avez une vie banale, la vie de tout le monde ? dit-il en me regardant attentivement.

Son attention. Je ne puis lui reprocher son indifférence, tout au moins. Je lui parle de ma vie, il se penche aussitôt sur elle, l'examine, essaye, avec un intérêt que tout le monde n'aurait pas, de la comprendre. Alors ?

Je conviens de la banalité de ma vie. Il y rêve un instant.

— Cela a aussi sa beauté, dit-il sérieusement. Les petites choses... Une nature morte de Chardin... Vermeer... Votre côté hollandais...

Je sens qu'il va citer Verlaine, je le sens, je le sens ! Il le cite : « Un brin de paille dans l'étable... » Le repas se termine. Je quitterai toujours Marcel en sentant qu'il y a, entre une certaine conception de « l'art », et moi, quelque chose qui ne va pas.

Enfin, tout de même, ce pauvre Marcel, qu'est-ce que j'ai à lui reprocher ? Il utilise intelligemment ses loisirs et son argent. Il est cultivé, il prend plaisir aux belles choses, il s'intéresse « aux êtres » — je crois bien qu'il dit « aux êtres » — et vraiment il y a très peu de snobisme ou d'affectation dans son goût de « l'art de vivre »... Qu'est-ce qu'il me faut, alors ? Des hommes d'affaires congestionnés après le repas qui s'en vont aux *Folies-Bergères ;* des producteurs de cinéma auvergnats et maquignons qui veulent me faire travailler au rabais en me déclarant, le regard ingénu : « C'est tout de même une assez belle affaire, *pour un écrivain...* » ; des éditeurs minces et trop bien habillés qui éditent des premiers romans à compte d'auteur, à moins que l'auteur ne soit joli garçon ; des acteurs de cinéma sans orthographe et qui en tirent gloire ; des intellectuels de gauche professionnellement inquiets, mais qui ont bon appétit, des intellectuels de droite qui vous le coupent (l'appétit) dès le hors-d'œuvre en prononçant les mots de « jeune et sain », bombant le torse et l'œil machinalement fixé sur le flacon de pilules, à côté de leur verre rempli d'un bourgogne bien français... Je parle des gens avec qui on peut se trouver, au Véfour, en train de déjeuner. M. B., indiscutablement, vaut mieux que ces gens-là. Je me le dis, je me le répète, et puis, ce malaise...

J'irai déjeuner avec Marcel, lors de son prochain passage à Paris. Nous verrons bien. « Oui, dit-il, ce sera une joie de nous revoir. Nous avons si peu parlé, aujourd'hui... Je voulais vous dire, au sujet de votre livre... »

Je n'aime pas parler de mes livres, c'est évident. Ni tellement des livres des autres. Odeur de poussière. Je me sens moi-même transformée en volume poussiéreux quand M. B. me parle. J'imagine Marcel parlant de moi, de mes enfants, de mon mari, de mon travail... Tout cela qui, pour moi, forme un tissu vivant, emmêlé à bien d'autres fils, sans cesse se transformant et se complétant, devient sous ses yeux un tableau. Comme la Joconde. Toutes proportions gardées, naturellement. Il tient d'ailleurs, respectueusement, compte de mes préférences. Si j'insiste sur mes tirages, sur ma maison de campagne, sur la santé de mes enfants, il est prêt à admirer un Renoir, abondance et santé, pommiers en fleurs et escarpolette (à cause de la Normandie), chair dorée des enfants, chapeau de paille abandonné sur une chaise, piano doucement éclairé le soir, fillettes sages, foyer moelleux comme un coussin de plume. Rectifié-je en lui parlant de mon travail parisien, des difficultés de la vie, de l'appartement trop petit, des rougeoles et des difficultés domestiques — une noirceur balzacienne l'envahit tout de suite, docilement. Il me voit attendre dans des salles de rédaction noirâtres, faire la queue au guichet des allocations familiales, me serrer le soir contre mon époux aussi maigre et décharné que moi, la grande misère du couple s'étale à ses yeux, il imagine nos mésententes, nos disputes, un budget étriqué (non, il ne pense pas à Buffet, c'est encore un de ses mérites, il n'aime *pas* Buffet). Mais depuis notre dernière rencontre, il a enfin trouvé ce qu'il me fallait. Dieu merci, il a été patient, il a essayé, essayé encore, j'étais difficile, rebelle même, il ne s'est pas lassé, allant d'un extrême à l'autre, de Daumier à Van Gogh, de Proust (ma santé !) à Hemingway (mon passé *romanesque*, à son avis...), mais enfin, il a trouvé, il est heureux comme qui a terminé un travail important, mis la dernière main à une création : Chardin. C'est dorénavant le mot clé. Il pourra parler de moi tranquillement : « Une vie tout à fait banale, une modeste aisance... » Plus ces mots

seront décriés, cette vie communément peu esti-
mée, plus il les polira, cent fois sur le métier re-
mettra son ouvrage, et arrivera à ce Chardin délicieusement pondéré, lumineux cependant, ces trois
poireaux et cette cruche posée sur la table brune
(et quelle couleur plus modeste que ce brun, et
plus riche de tous les rayonnements : brun comme le miel est brun, et doré pourtant...) Me voilà,
définitivement, au musée Marcel B. C'est un artiste. On peut dire de lui, comme on dit des mo-
distes : « C'est fait avec rien. » C'est un artiste,
oui. Je ne sais pas si j'aime les artistes.

Je n'ai pas beaucoup cru à « l'artiste-qui-oublie-
tout », touchante mythologie de ma vieille bonne,
image d'Epinal passablement écœurante. Mais je
m'aperçois disant cela, que je ne crois plus complètement non plus à ce « bon artisan toujours
à l'heure » que j'ai l'air d'être (que je suis aussi)
et qui me vaut la sympathie de mon ami Luc, des
journaux bien-pensants (certains), et de tous les
partisans du cloisonnement, de la spécialisation,
y compris les gentils communistes de base (pas
les autres, qui sont nos Nouveaux Aristocrates,
comme dirait... Quelle salade !)

Ni inspiré ni artisan ? Alors ? L'un et l'autre ?
Responsable et irresponsable ? Engagé et lunaire ?
Est-ce qu'on pense à tout cela quand on écrit ?
Quand on a fini d'écrire, a-t-on fini d'exister ?
« C'est un ami, mais c'est un salaud. » Le Patron,
toujours le Patron. Spécialisation. Luc et l'oiseau.
Poésie. Je me demande si Luc, se trouvant en face

du Patron, aurait conscience de quelque parenté entre eux.

Il faut pourtant bien séparer les choses. On ne fait pas de bonne littérature avec de bons sentiments, on nous l'a assez dit. Et c'est vrai. On fait de la Littérature avec de la littérature. Avec du talent, si l'on préfère. Mais hors ce talent, qui nous est ou non donné, de quoi nourrit-on un livre sinon de cette patience, de cette attention, de cette intégrité, qui sont après tout des sentiments et des meilleurs ? C'est loin d'être suffisant, bien entendu. Toute la patience et l'intégrité du monde ne sauraient répondre à cette question de François, écrivain lui aussi, question qui toujours me stupéfie : « C'est bon, ce que tu fais en ce moment ? »

Oui, est-ce que c'est bon ? Mais qu'est-ce que cela veut dire ? Et surtout, en quoi est-ce mon affaire ? Bon à quoi ? Bon pour les lecteurs d'aujourd'hui, de demain, de toujours ? Bon pour moi ? Pour lui ? Que veut-il que j'en sache ? Et si j'y pensais, comment pourrais-je écrire ? Ecrire, c'est un peu le pari de Pascal. On peut consacrer, c'est évident, autant de temps, de foi, de patience à écrire un mauvais livre qu'un bon. On peut en toute intégrité se tromper de sujet, d'instrument, de vocation. Ces péripéties, ces échecs, ce mauvais tableau, ce livre insuffisant peuvent pourtant n'être pas inutiles à l'homme qui les vit et y cherche sa vérité. Ce mauvais livre lui est bon. Le mien peut n'éclairer que moi, n'apprendre qu'à moi seule cet effort, cette recherche, cette patience. Cet effort, cette recherche pourtant, je les acquiers, ces corrections, ces retours en arrière, ces erreurs même, je sais qu'elles ont un *rapport* (et cette fois j'emploie le mot à dessein) avec les erreurs, les questions, les échecs que je puis rencontrer dans ma vie ; *un rapport, non une identité.*

Un rapport donc entre moi au café, de 7 h 30 à midi, et moi bavardant avec une amie, promenant mon ou mes enfants, parlant avec Luc, visitant une exposition, souffrant de migraine, décidant d'agir de telle ou telle façon. Mais lequel ? Une fois repéré ce nuage, ce lien, je désire le définir. Moi-écrivant, moi-lisant, moi-réagissant aux journaux, aux événements, aux êtres ; le rapport. Moi-en Tunisie, par exemple, qui se situe entre innocence et réflexion, au bord de la conscience. Moi à qui Luc explique, comme le maître de poésie à M. Jourdain : « Mais tu fais de la politique », alors que je n'en savais rien. Oui, quel lien entre un roman sans actualité et

moi en Tunisie ?

Moi sans actualité, en Tunisie, allant voir mon mari (qui ne l'était pas encore) y faisant son service militaire. Attente de cette rencontre, bateau pris avec un billet de pont, pont signifiant fond de cale, trappe bouclée au-dessus de ma tête et de celle de quantité d'Arabes accroupis. Trajet sans histoire. Dans la pénombre, assez loin de moi, deux hommes se battent un bon moment, dans l'indifférence générale. Un vénérable patriarche me prend sous sa protection et m'abreuve de limonade gazeuse quand le mal de mer menace. Une femme me donne à tenir son poupon qui mouille abondamment mon sac à dos. C'est tout. Tunis. Soleil. Luc, de passage, m'invite à dîner. Venu en avion, mon voyage lui paraît plus pittoresque qu'à moi. Ce billet de pont ! Une légère méfiance perce à travers son amusement. Il prononce, je crois, le mot « démagogie » et m'entretient des affaires d'Afrique du Nord, auxquelles je n'entends rien. Trottoirs ensoleillés de Tunis. Demain, le train pour S., terme du voyage. Des jeunes gens passent, s'amusent à renverser du bout de leurs cannes ou de la pointe du soulier les boîtes en fer-blanc posées devant les mendiants. Les sous se répandent. Il s'en perd quelquefois. Je n'approuve pas. Luc me dit qu'il ne faut pas « prendre parti sans savoir ». Savoir quoi ? J'y rêve.

S. Ciel gris égratigné de bleu, ciel poncé, délavé, travaillé, que tranchent les voiles ocre, courbes comme des faux. Chambre dallée, fraîche aux pieds, attente du soir, odeur changée d'un corps ami, glissement lent au long de l'habitude retrouvée. Attente en marchant dans la ville. N'allez pas seule dans la Médina. Bien. Saïd a onze ans, plutôt laid, malingre. On n'est pas abordée quand

136

on se promène avec un enfant. On mange des casse-croûte dans le square, en silence. « Quand tu seras rentrée en France, tu m'enverras des blue-jeans », dit Saïd. Oui. Il me dicte son adresse. Est-ce que je suis en train de prendre parti ?

Près de la caserne, de vieilles femmes fouillent les poubelles. On leur donne les restes de la cantine militaire. Certains, pour s'amuser, au lieu de les verser dans les vieilles boîtes rouillées, les jettent au loin. Parfois, rarement, deux vieilles se battent en silence, sans joie. Rires. Là, c'est facile de prendre parti, de s'indigner. Ce n'est pas facile de comprendre. C'est facile de dire « salauds », mais pourquoi salauds ? Pourquoi est-ce *amusant* ? Pourquoi ? Des femmes transformées en bêtes, roulant dans la poussière. Estampe à la Goya. Même un paysan borné doit ressentir, d'une certaine façon, que la faim n'est pas une chose amusante. Alors ? Goût du mal ? Sentiment de supériorité ? Luc a un sentiment de supériorité lorsqu'il écrit de fausses nouvelles. Abaisser son lecteur. Mais chacun peut être dupe, avoir faim. Devant un certain degré de faim, de souffrance, de peur, chacun est exposé à perdre son contrôle de soi, sa dignité. Il n'y a que le degré qui varie. Où est donc la supériorité dans le fait de réduire les autres à cet état ? Illusoire.

Prenais-je parti ? Je réfléchissais, simplement. Je consentais aux choses le droit d'exister, de me poser des questions, que je ne résolvais pas encore. Sans sentimentalité excessive. La souffrance, la mort ne me tiraient pas de larmes : j'acceptais pour moi-même la loi de la nature. S'il était en mon pouvoir d'apporter quelque soulagement au malade, au misérable, je le faisais. Mon calme n'en était pas troublé, j'étais, j'acceptais d'être moi-même ce malade ou ce misérable ; seuls les accidents de la fortune me séparaient ou m'approchaient de lui. Je respirais d'accord avec le monde, me semblait-il. Je n'avais jamais aimé sans avoir été aimée, vu mourir ce sentiment sans l'avoir senti aussi mourir en moi. La maladie m'était connue, acceptée ; le manque d'argent tel que je l'avais connu, au regard de certaines misères me paraissait négligeable. Je pensais à la mort avec plaisir. Ce visage borné, aux joues roses, d'un enfant de vingt ans, jetant au loin, avec un rire, la viande convoitée par ces vieilles, s'imposait à moi, m'arrêtait. Je n'eusse pas songé à exiger de lui de la pitié : la nature n'est pas pitoyable. L'indifférence m'eût suffi. Moi, affamée, moi vieille, débile (rien ne m'était plus aisé que d'*être*, et qui sait si je ne l'étais pas virtuellement, l'une de ces femmes), l'indifférence m'eût suffi, j'y consentais. Mais ce rire ? Ne prenait-il pas parti ? Je le mettais de côté, ce visage. J'y reviendrais.

Les enfants mendiaient. Nous donnions ce que nous pouvions, bientôt suivis d'une nuée de gamins mi-suppliants, mi-joueurs. Ils s'égayaient comme nous marchions, il n'en restait plus qu'un ou deux, frère et sœur peut-être, et, lassés, nous allions leur donner la dernière piécette lorsqu'un

homme qui suivait leur quête du regard, brusquement s'avança, les menaçant du geste et de
l'accent, violemment. Ils s'enfuirent. Cet homme
n'était pas un « colon », pas un Européen. C'était
un Arabe humilié. Cela, je pouvais le comprendre,
et sa colère douloureuse. L'humiliation n'est pas
un sentiment complexe. Le comprendre. Luc :
« La politique n'a rien à voir avec le sentiment.
Les choses sont ce qu'elles sont. Quand ce n'était
pas nous, c'étaient les chefs de tribu qui oppres-
saient ces gens. » Développement historique. Je
réfléchis. Que les choses soient ce qu'elles sont
ne devrait pas empêcher qu'on les définisse mauvaises ? Qu'on tente de les améliorer ? Je ne me
dissimule pas le caractère primaire, voire infan-
tile, de ces réflexions. Luc ne me le dissimule pas
non plus :

— Mais pourquoi veux-tu absolument faire de
la politique alors que tu n'y entends rien ?

— Mais je ne *veux* pas faire de la politique. Je
me suis trouvée là, certains faits ont attiré mon
attention, j'y réfléchis...

— Et pourquoi y réfléchir ?
— Et pourquoi non ?

— Tu ne devrais pas te mêler de ces choses. Tu
ne sais rien et tu prends parti...

Il s'en va mécontent, me laissant en face de
cette lumineuse évidence : *réfléchir, c'est déjà
prendre parti.* Tout à fait les idées du Patron.
Tout à fait le sens dans lequel « intellectuel » est

devenu une injure. Je me demande si je suis en train de devenir un « intellectuel ». Difficile transmutation. Je n'en ai ni les qualités ni les défauts, il me semble. Jeunes hommes de droite savamment désinvoltes, jeunes femmes de gauche ingénument progressistes, je me sens aussi étrangère aux uns qu'aux autres. Art, politique, sentiment, je n'étais pas disposée à entrer dans ces concepts, ces qualifications.

De plus en plus, la figure du Patron prenait à mes yeux une importance révélatrice, une stature à l'échelle de l'Univers, devenait une sorte de Moloch, divinité de film américain, en carton doré, imitant l'or ou le bronze, affreux amalgame mexicano-chinois, mais qui vomit des flammes et frappe de terreur la foule misérable des figurants à deux dollars l'heure qui miment leur propre condition d'esclave en péplum de nylon. Moloch ou sphinx à la devise éternelle, riche d'enseignements, dans sa concision : « Je ne *veux* pas le savoir. »

Je voulais savoir. Quoi, à quel sujet, par quel moyen ? Tout était à refaire. Mais le Patron me révélait le monde, une démarche essentielle. En décidant de réfléchir, je sortais d'un cercle magique. Mais je n'aurais pu y rester qu'en prenant la décision inverse, celle du Patron : « Je ne *veux* pas le savoir. » Là aussi, croyant m'y réfugier, j'aurais quitté les régions enchantées où nulle question ne se pose.

« Ces régions, existent-elles même ? » en venais-je à me demander. Une fois que l'on *pense*, aussi

140

gauchement, aussi sommairement que ce soit, on s'aperçoit qu'on a toujours *pensé*.

Mille souvenirs d'enfance se mettent à revivre. On a toujours pensé. On en prend conscience non sans mélancolie. A la façon dont, après une rupture, inimaginable huit jours plus tôt, un amant peut prendre tout à coup conscience de mille petits faits annulés sur l'instant, mais non oubliés puisqu'ils réapparaissent, et qui, dans le passé, lui auraient prouvé, s'il avait consenti à en prendre conscience, que déjà « ça n'allait pas », alors qu'il se croyait encore — qu'il *voulait se croire*, en plein bonheur. Lui aussi « ne veut pas le savoir ».

Cette volonté d'ignorance peut pourtant aller jusqu'au sublime, devenir pari pour le bien, cette charité qui « croit tout, espère tout, supporte tout », qui n'est pas aveuglement, qui n'est pas niaiserie, mais qui est, oui, prise de parti, pari pour le « bien », mise totale sur l'amour. Et qui a un rapport, un rapport seulement, avec ce pari pour l'art que l'on fait quand on écrit. Comment en sortir ?

Pari pour l'art. Travail dans l'obscurité, qui rend la question « est-ce bon ? » angoissante et vaine. Rapport de ce pari avec l'amour, avec la politique, pourquoi pas ? Affirmer que les choses « étant ce qu'elles sont », il ne faut cependant pas admettre qu'elles le soient, et sachant que toute transformation à son tour devra être transformée, n'est-ce pas tout supporter en même temps que tout espérer, comme d'écrire sans atteindre jamais le but qu'on se propose, en supporter l'angoisse et recommencer, toujours, à écrire ?

Non, ce n'est pas *la même chose*. Rapport, et non identité. On a tant fait remarquer — non sans un certain plaisir — que l'auteur d'un beau livre, le défenseur d'une noble cause, l'inventeur d'une science neuve, n'était pas forcément un homme « bon ». On l'a dit à tel point qu'il a semblé à certains indispensable de n'être pas honnête « dans la vie » pour l'être « dans l'art ». Tous les ivrognes ne sont pas Verlaine, ni tous les pédérastes Garcia Lorca ; tous les gibiers de potence ne sont pas Rimbaud ou Genet. Pourtant ce genre de superstition canaque est fréquente, qui fait qu'en adoptant le vice d'un grand homme on croit en adopter aussi la vertu. Piteux mimétisme. Et pourtant, malgré Daniel d'Arthez (le seul personnage peut-être que Balzac « rata » jamais), patience et longueur de temps ne suffisent pas, non plus, à faire une grande œuvre, encore qu'elles y contribuent. Qu'un grand homme ait sur certains points une petite âme, je l'attribue, avant tout, au manque de logique. Pour tout dire, à la distraction. « Il n'a pas fait le rapport », comme on dit. Ce rapport, pour l'instant, je l'appellerai

Cézanne à Aix, à la fin de sa vie. Voilà un sujet qui me tente. Vingt-quatre heures de sa vie, où il ne se passe rien. Ou bien quinze jours, du début d'un tableau à sa fin. Il reçoit une lettre de son fils, il pense à Zola, il regrette amèrement de n'être pas reçu au Salon, de n'avoir pas la Légion d'honneur, il doute, il crève une toile, ne doute pas pourtant, car il recommence, et sait qu'il recommencera jusqu'à mourir. Il sait qu'il y a une vérité. Pour n'être pas présomptueux, disons : il croit qu'il y a une vérité.

Ce qui me tente, c'est cette malédiction mesurée. Non pas la fin atroce (un peu trop spectaculaire) de Gauguin : elle fait un peu exotique, un peu « rabi », cette fin. Elle est trop exemplaire, comme l'abandon de sa femme, de ses enfants. C'est une image d'Epinal pour bourgeois épouvantés et ravis. On me dira que le peu, le très peu de complaisance (mais « une mouche dans un vase de parfum... ») que put avoir Gauguin pour son propre malheur, à couleur, à odeur violentes, il le paya durement. Sa « vie d'artiste », il la souffrit dans sa chair gangrenée, dans son abandon total, dans l'expérience douloureuse de ces huttes tahitiennes, laissant passer la pluie et moins poétiques qu'elles ne le paraissent à dis-

143

tance. Tout cela est vrai, sans doute. Pourtant cette odeur, toute légère, toute rachetée qu'elle est, cette odeur décorative, cette odeur de bande illustrée, qui attire aussitôt les lecteurs de *France-Soir*, me repousse comme celle d'un cadavre.

Mais la tristesse de l'homme qui désire ingénument les grandeurs de ce monde, et découvre qu'à cause d'une certaine vérité en lui qu'il lui faut bien exprimer (« la petite sensation », disait-il, comme Corot, qui s'en accommoda mieux, disait « mes chimères » de ses plus belles toiles qu'il ne montra jamais), ces honneurs lui sont refusés ; la tristesse qu'on appellera, si l'on veut, « bourgeoise » de Cézanne, l'innocente stupeur de Manet devant le scandale de *l'Olympia*, et pourtant l'obligation qui leur est faite de peindre encore des *Sainte-Victoire*, de peindre encore des *Déjeuners sur l'herbe*, voilà une vraie destinée humaine, une vraie mesure humaine, une vraie tristesse humaine, sans apparat, sans enjolivures tragiques. Et le malentendu constant de la vie courante à travers tout cela, ces yeux si grand ouverts devant une vérité qu'ils ne distinguent plus les autres, Cézanne s'écriant devant les toiles de Van Gogh : « C'est une peinture de fou ! » Zola, cette âme si généreuse, reléguant ses Cézanne au grenier pendant qu'en son salon *médiéval* trônent des Bonnat ; et Cézanne apprenant le rôle si généreux, si *vrai* de Zola dans l'affaire Dreyfus (ce rôle qu'il eut tant de mérite à assurer parce qu'il en avait peur : mesure humaine encore. Une complaisance si subtile eût-elle été pour le côté « ténor » de cette intervention, eût tout gâché), Cézanne soupirant : « Ce pauvre Emile, il s'est encore laissé entortiller... »

Oui, la « malédiction du génie », je ne l'aime que subie à contrecœur. Je ne l'aime pas recherchée, portée comme un habit seyant. Il en est de même pour la nouveauté des formes et des styles : je ne l'aime que traduisant une impérieuse exigence de l'âme, ne s'apercevant même pas qu'elle est neuve, et toute déconcertée d'attirer l'attention, tant elle se croyait naturelle. Consciente d'elle-même, théorisant, se posant en principe, elle me déplaît comme l'habit neuf du Brummel, comme un costume du dimanche, comme un doublage de western. Elle a (à mes oreilles) ce même accent affecté : « Tu viens Betty ? Passe-moi mon colt ! » qui finit par être drôle. Il me semble que l'habit se prend un peu trop pour Brummel ; du fétichisme toujours. Et si j'aime que l'homme lutte un peu contre la vérité, c'est que la force de la vérité n'en éclate que davantage. J'aime la vérité. Je crois donc qu'il y en a une. Voilà au moins un point d'acquis.

Et j'aime Cézanne à Aix ; peinant, mais sans soucis matériels, affligé d'une femme indifférente, mais ayant un fils affectueux ; ne pouvant plus croire à l'admiration, à la compréhension des autres, mais ayant toujours foi en lui-même ; ne comprenant plus son ami Zola, qui ne le comprend plus, mais comprenant pour l'éternité le langage des montagnes. J'aime mieux une lutte modeste (pas tant que cela) qu'un grand malheur qui se regarde. Cézanne, c'est un homme. Gauguin, c'est

une image.

Il n'y a guère que Vincent Van Gogh qui ait pu l'être impunément. Il y a ainsi des cas miraculeux où le chromo le plus éculé reprend vie et passion d'être vécu avec une totale innocence. Il y a Van Gogh, oui. Mais il n'y a guère que lui, pour sauver l'image du « grand artiste dévoré par son art » et foudroyé en plein soleil. Ce n'est pas que je sois absolument contre les images. Il y en a de bien jolies. De vraies images d'Epinal. Tenez, Einstein, par exemple. Voilà une image qui fait toujours plaisir à tout le monde : cet illustre savant qui avait tant de peine à ne pas se faire écraser en traversant la rue. On ne peut rêver plus de spécialisation, n'est-ce pas ? (Aussi, le charmant visage lunaire plut-il moins lorsqu'il voulut se mêler de ce qu'on appela aussitôt « politique ». Chacun son métier et les bombes atomiques seront bien expédiées.) Autre image vraiment pittoresque : Jean Rostand et ses grenouilles. Image pour personnes d'un certain niveau culturel, notez bien. Tout le monde ne se contente pas de Margaret ou du bébé d'Iran. Il faut même dire que, dans bien des milieux, ces images sont aussi dédaignées que le calendrier des postes. Et pourtant...

Un ami romancier, cultivé, fin, serviable, parfait, dit : « Je te ferai connaître Untel, c'est un *personnage* extraordinaire. » Bien sûr, pour lui, Margaret n'est pas un personnage. Il a le goût trop fin pour ce genre de cuisine. Ah ! en revanche, avec le mauvais goût conscient qui est la fleur d'un certain goût (non, il n'est *pas du tout* pédéraste), je le soupçonnerais assez de goûter les fastes académiques, l'habit vert, comme on aime les meubles Napoléon III, et cette gravure romantique d'une jeune fille au visage émacié, se balançant sous une lune d'époque, émaciée aussi. Le pittoresque : un effet sûr, pour amateurs de Balzac, du vieux Paris, du marché aux Puces, des originaux en loques qui élèvent un canari (et rêvent d'un poulet rôti, tandis qu'on les photographie). On me dira : « Quoi, dire du mal de Balzac, vous qui... » Mais Balzac sauve le pittoresque, comme Van Gogh sauve la malédiction de l'art. Encore Balzac est-il toujours en lutte avec le démon Bric-à-Brac et n'a-t-il pas toujours le dessus. Du moins n'abdique-t-il pas, et sa victoire est plus belle d'avoir été si disputée. Mais il faut être bien fort pour s'y risquer, à cette lutte avec le pittoresque, et pour ne pas toucher des épaules. Horrible pittoresque de salle de vente, horrible démon des inventaires, horrible démon de l'exotisme, et non moins horrible démon son contraire, le distingué amateur de psychologie pure, prince de Clèves

147

quadragénaire, assis au *Fouquet's* un whisky à la main, élégamment inexistant comme tous les démons, et qui va s'évanouir (en fumée) si vous lui demandez de quoi il vit... Horrible démon de la spécialisation, prince des personnages et des théories ! On ferait là-dessus des litanies à faire frémir Baudelaire. Que d'alliés pourtant ce Satan n'attire-t-il pas, que de touristes charmés par les méandres de ces pittoresques allées ! Encore, je ne parle que des touristes de l'art, non de ceux qui, en vacances (quel beau mot quand on y songe : vacants de cœur et d'esprit, vacants, vides, appareils à enregistrer des images d'avance cataloguées, l'appareil d'ailleurs en bandoulière, l'œil prisonnier de l'objectif), visitent la vie des autres et croient l'avoir comprise. Mais nous, mais toi, mais vous, mes amis écrivains, est-il possible que nous soyons si proches encore de l'enfance, dressant notre imagination comme un écran, comme un guignol parmi les arbres, que nous ne voyons pas, en y faisant défiler des *personnages ?*

« C'est un beau personnage... Ce personnage falot... Le personnage principal... » Comme, tout de suite, on nous prévient que nous sommes au guignol, que nous n'avons rien à craindre, que c'est (même si l'on souffre et meurt entre ces portants bariolés) « pour de rire »... « C'est drôle, ce qui est pour rire ne me fait pas rire », disait Daniel à cinq ans. Il détestait le cirque. Les clowns le faisaient pleurer. Tant de laideur lui paraissait un sujet de pitié plutôt que de moquerie. On lui faisait remarquer qu'il s'agissait d'un déguisement, de farine, de rouge sur ces visages, qu'il ne tenait qu'à ces messieurs de se laver pour apparaître aussi normaux que les spectateurs. « Pourquoi est-ce qu'ils ne se lavent pas tout de suite, alors ? » demande Daniel, qui ne peut concevoir qu'on prenne plaisir à faire rire de soi. « Parce qu'ils gagnent leur vie ainsi. — Tu vois bien que c'est triste », dit-il. Daniel n'est pas un « artiste », sans doute. Il n'a pas tout à fait raison non plus. Mais l'horreur que lui inspire le clown prouve bien qu'il n'y a pas là qu'un personnage sans consistance, sans rapport (hé, oui...) avec rien. Ce monstre dont on rit nous venge d'autres monstres qui font peur. Ces personnages que l'on isole en eux-mêmes nous dispensent peut-être de les regarder vraiment ? Mais qu'est-ce qu'un personnage extraordinaire ?

Un personnage extraordinaire, en 1900, c'était un Russe blanc, autrefois grand-duc, aujourd'hui marchand de crêpes, place Pigalle, qui vénérait les icônes, avait des superstitions bizarres, des souliers vernis et pas de chaussettes. C'était un révolutionnaire érudit et crasseux, un homme du monde escroc (ô Arsène Lupin), bref un *contraste social*. Aujourd'hui, le contraste est plus psychologique ; il peut être encore, sans doute, un dignitaire du roi Farouk qui posséda trois yachts et une mine d'or, devenu peintre de modèles réduits d'automobiles pour enfants, et d'or ne possédant plus que les dents. Mais ce peut être aussi une dame du meilleur monde, suprêmement élégante, dont on dit qu'elle couche avec son chien et qui rétorque : « Mais non, voyons, jamais les chiens, les singes ! » Ce peut être un pédéraste amateur de peinture, un érotomane collectionneur de souliers, un jeune fille du monde vierge, un viril coupeur de têtes, un languissant trafiquant d'or. Ce peut être le propriétaire d'un journal de chantage qui pleure en écoutant du Darius Milhaud. Luc dit de son patron : « Pour lui, la vérité n'existe pas : c'est un personnage extraordinaire. » Lambert dit d'un coupeur de têtes : « Il s'amusait à abattre à la carabine les indigènes qui nageaient dans le fleuve en disant : « J'aime tant les crocodiles. » C'est un personnage extraordinaire. » Une ancienne carmélite devenue danseuse nue, voilà un personnage extraordinaire à l'usage du tout-venant (palais délicats s'abstenir). Gauguin : voilà un exemple excellent, qui plaît à tous. Le bourgeois goûtera surtout la malédiction, le côté agonie entre les plantes vertes (et tenez, rien que cette expression — devenue courante à la Libération, je crois ? Non seulement on divise les gens et les choses en catégories, mais il faut encore qu'on les subdivise en « côté » !), le côté. disais-je, agonie de théâtre. Le raffiné préférera cette lettre : « J'abandonne mes enfants au gré du vent... » et comparera ce cynisme bon enfant à la délicate hypocrisie de Rousseau (mes enfants seront mieux élevés par l'Etat que par moi-même). Extraordinaires, en effet. On est si absorbé dans leur contemplation qu'on en oublie ces petites graines d'enfants, disparues au vent, en effet. Et Sade ? Un article ancien, mais toujours apprécié. Et Lautréamont ? Les belles images pour surréalistes attardés et hommes de gauche Nouvelle Vague ! Et Jean Genet ! On a envie de le remercier d'être si parfaitement conforme au mythe de la sainteté littéraire. Tout au plus pourrait-on souhaiter de le trouver un peu plus obscur. Mais sinon, parfait : ne bougeons plus. Pédéraste, casier judiciaire, lyrisme et anarchie. Voilà un personnage extraordinaire ou je ne m'y connais pas. Il n'y eut guère que Verlaine à faire aussi bonne mesure, à satisfaire aussi totalement les clients. Une seule tache sur sa vie, à Verlaine : sa fin. On avait tout préparé, articles, photos, estampes, c'était déjà dans les livres de lecture... et il n'est pas mort à l'hôpital. Rien à faire. Il est « décédé chez une compatriote, Mme X, qui l'avait recueilli au cours de sa maladie ». Indignation générale. Voir les journaux du temps. L'image qu'on se faisait du Pauvre Lélian en est toute gâchée. (Ces appellations : Le Pauvre Lélian ! Le « Cygne de Cambrai » ! Le « Chantre de Nuremberg » ! Les innombrables qui appellent Rousseau « Jean-Jacques », et les nombreux qui appellent Jean Cocteau « Jean » ! Et ceux aussi qui appellent Bobet « Louison » et Gaul « Charly »... Et — à faire dresser les cheveux sur la tête — ceux qui ont inventé pour le prince Charles d'Angleterre le surnom de « Plum-Pudding ». Et — à sangloter dans son mouchoir sur les « verts paradis » — cette amie d'enfance qui m'écrit, après des années de silence, et commence sa lettre ainsi : « Alors, Madame Fémina ? ») Voilons-nous la face, nous sommes tous coupables, couvrons-nous de cendres, nous péchons tous, depuis le patron du bistrot qui déclare : « Les Allemands, ils sont *tous* honnêtes, c'est leur seule qualité », jusqu'au journaliste qui *déplore* que le logis de Mme X, compatriote de Verlaine, ait été « coquettement fleuri ». Nous voulons des images, des personnages, et des couleurs violentes. Ou alors, qu'on nous rembourse ! Ce n'est plus drôle ! Nous exigeons la mise à mort et l'hôpital. Puisque c'est « pour de rire ». Nous exigeons que ce soit « pour de rire ».

L'hôpital ! L'hôpital pour les « personnages extraordinaires » ! Une jeune bonne déclare : « C'est moche, que Margaret se marie. Elle était mieux en triste. » Comme on pourrait dire que Bardot est mieux « en ingénue », Marilyn « en vamp ». A l'hôpital, Margaret ! C'est plus photogénique. L'amateur d'images l'exige. Cézanne ne lui plaît pas, Manet est un bourgeois, Degas un aristocrate hargneux, Delacroix même et ses ténèbres n'apparaissent pas assez dramatiques — il lui faut la forêt vierge, l'odeur de la gangrène, et le délire —, impossible que Gauguin n'ait pas déliré. Et qu'il en meure ! Comme Rimbaud ! Parce qu'enfin, imaginez que Rimbaud ne soit pas mort, que Rimbaud ait simplement fait fortune, se soit marié, ait fait souche de petits Rimbaud, que d'exégètes sur le pavé ! Ça n'a pas de gueule, comme disent les photographes de *Paris-Match*. Même Baudelaire, qui a pourtant fait de son mieux : des complexes d'Œdipe en veux-tu-en-voilà, la haine des généraux, la damnation volontaire, Satan et la maîtresse noire, l'opium et, fin du fin, la syphilis, même Baudelaire n'arrive pas à égaler Rimbaud dans l'imagerie esthético-populaire. Il suffit qu'une fois, une seule, le pauvre ait pris la résolution — jamais tenue — de se lever tôt le matin et de travailler régulièrement, cela suffit, M. J.-P. Sartre ne le lui pardonnera jamais. Il aura beau mourir à l'hôpital, lui, authentiquement, trop tard. Il ne pourra pas racheter le tort d'avoir fait deux ou trois fois sa prière et bu un verre de moins. M. Sartre ne badine pas là-dessus. Et le public est bien d'accord. Qu'on rehausse, qu'on noircisse, qu'on mette en valeur, la destinée de Baudelaire ressemble trop encore à une destinée humaine. Elle sent la souffrance vraie, et la souffrance vraie n'est pas bonne aux narines bien apprises. Tandis que Rimbaud, c'est le mythe parfait, on ne sait rien. Et tous nos imagiers, agrégés dans l'âme, chrétiens et révoltés, de se battre les flancs sur ce beau sujet de dissertation. Rimbaud, c'est le sujet idéal pour amateurs d'Eden, de fatalité, de « l'esprit souffle où il veut ». Des chrétiens à estomac solide arrivent bien à le digérer, mais c'est du quiétisme, c'est Mme Guyon avalant des crachats. Il leur faut trop d'efforts pour le savourer vraiment. L'homme qui n'a pas vécu sa vie jusqu'au bout. Pas vécu son génie — l'épuisement de son génie — jusqu'au bout. Grandeur dira-t-on, de ce suicide. Je n'aime pas les suicidés. Il y a plus de grandeur, me semble-t-il, à se regarder tel qu'on est qu'à se fuir en sautant par la fenêtre. Plus de grandeur à assumer sa souffrance, son impuissance créatrice, qu'à la fuir. La pitié, tant qu'on voudra, et la compréhension : on comprend qu'à trop souffrir, le malade se jette sur toutes les morphines. Il n'en peut plus, il est à la limite de ses forces, dévoré par son propre génie comme Van Gogh qui avait le cerveau fragile, comme Modigliani qui avait le menton mou. Tragédie, cent fois tragédie. Mais grandeur ? Mais mérite ? Où est le mérite d'avoir un cancer et d'en mourir ? Voilà comment on barbouille une destinée pour en faire un « personnage ». Décidément, je préfère l'article original. Mon sujet pourrait être une destinée — mais c'est un peu trop beau. J'aurais peur de susciter les admirations niaises qui se repaissent de beaux cataclysmes et d'immortels sanglots. Mon sujet — celui dont je rêve — c'est Cézanne à Aix, tout seul avec lui-même, et qui sait qu'il recommencera cette journée, jusqu'au bout de ses journées. Mon sujet, c'est le courage. Et le courage n'est pas une spécialité.

Je sais bien qu'il risque, ce sujet, de paraître un peu limité. Je sais qu'il est un peu nu, un peu horizontal, et même qu'il semble ne pas laisser sa place à l'inspiration (si désuet que soit ce mot), à la poésie, à la grâce. C'est seulement que sur la grâce je ne puis rien, que l'attendre et lui faire place. Mon histoire est celle de cette attente, ma recherche celle de ce courage. Le reste, comment oserait-on en parler ? J'arriverai bien, en fin de compte, sinon à savoir ce que je veux, du moins à savoir ce que je veux savoir.

Je ne fais que sortir des limbes d'une longue enfance. J'en sors grâce à ces livres qui me sont un chemin, qui me sont bons. Il se peut que ce chemin soit visible à d'autres, cette recherche communicable. Et alors, je suppose que ces livres seront ce qu'on appelle de *bons* livres. Il se peut qu'ils ne le soient que pour moi. Oui. Il se peut.

Communiquer avec les autres. Parler avec les autres tout simplement. C'est encore beaucoup d'ambition. Je commence à vouloir communiquer avec moi-même, coïncider avec moi-même. Je sens qu'il y a quelque rapport entre ce moi du matin et ce moi du soir, et qu'il me serait utile de déterminer et de commander s'il se peut, ce rapport. Connaissant, si l'on peut dire, le *matériel* dont je dispose, il me serait possible alors de comprendre son utilisation la meilleure, sans me laisser guider par lui aveuglément, sans prétendre non plus changer quelque chose à son essence.

Réfléchir donc. Ecrire. Réfléchir de façon fragmentaire, dispersée, avec l'aide seulement des petits faits de la vie courante, puisque, me disais-je, c'était tout ce dont je disposais... Cela n'était pas sans rapport avec mon premier plaisir de collectionneur, à découvrir les mots et leur rapport avec les choses, à rencontrer dans la journée telle image ou telle sensation, ces briques apportées à mon petit édifice personnel ; mais je ressentais de plus en plus le besoin que cet édifice, loin d'être comme je l'avais cru, *mon* édifice, fît partie d'une construction universelle, à laquelle chacun collaborait dans sa mesure et, cette fois l'expression me convenait, dans sa spécialité.

Après avoir été à ma place, absurde et nécessaire, dans un monde absurde et innocent, je voulais retrouver l'ordre des choses, une place délimitée dans un monde qui aurait eu un sens. Mais quel sens ? Il fallait tout reprendre du début. Je n'en éprouvais pas d'angoisse. A défaut d'autre mérite, j'aurais celui de la patience, de l'attention.

Le début, c'était ces mots, ces phrases, ce plaisir d'enfant, d'origine édénique, plaisir *gratuit* me semblait-il, l'*art*. « L'artiste » de magazine, le savant distrait, le personnage extraordinaire avec lequel on n'a rien à voir, ou qui n'a à s'occuper de rien ; le début, c'était ce passionné, ce passionnant ramasseur de cailloux, ce facteur Cheval édifiant son « Palais Idéal » et écrivant ce joli quatrain à sa brouette :

> *Je suis la fidèle compagne*
> *Du travailleur intelligent*
> *Qui chaque jour dans la campagne*
> *Cherchait son petit contingent.*

Qu'on ne s'y méprenne pas. Toute ma sympathie est acquise, et dès longtemps, au facteur Cheval. Il commença, dit-on, par ramener dans son mouchoir les cailloux dont il se servait pour bâtir son palais. Sa femme protesta, à cause de l'usure. Alors, il se servit d'une brouette. Au crépuscule, il errait, triant des pierres parmi les plus belles, lâchant ce caillou poli pour cet autre tacheté, imaginant des géants, des arcades, des poèmes aussi à inscrire dans la terre, et heureux, on veut le croire, tandis que se morfondait au logis Mme Cheval. Facteur Cheval, paisible et obstiné, qui construisis à Hauterives (Drôme) ce Palais Idéal, tu mérites d'être salué, d'être félicité, facteur Cheval, risée de ton village, souffre-douleur de ton épouse. (Ou était-elle, au contraire, fière complice ? Finit-elle, gagnée par ta fièvre, par apporter sa contribution à ton « petit contingent » de cailloux ?) Patience, persévérance, modestie, voilà tes vertus, facteur Cheval. Nous les aimons, ton palais nous enchante et nous sommes presque émus en lisant tes vers innocents :

> *En cherchant j'ai trouvé*
> *Quarante ans j'ai pioché*
> *Pour faire jaillir de terre*
> *Ce palais de fées.*

Que de morale dans ce distique gravé sur la façade ouest (crénelée et garnie d'un faux palmier en pierre) : « A cœur vaillant, rien d'impossible. » Que d'humble fierté sur la façade nord (figurant un temple hindou surchargé de stalactites et creusé de grottes mystérieuses) : « Un génie bienfaisant m'a tiré du néant. » Adornant « La Reine des Grottes », voici une inscription à but social : « Tout ce que tu vois, passant, Est l'œuvre d'un paysan. » Enfin, sur la Tour de Barbarie (quel beau nom !), voici la conclusion de ce travail d'une vie :

> En créant ce rocher
> J'ai voulu prouver
> Ce que peut la volonté.

Elle peut beaucoup, la volonté, facteur Cheval. Elle peut créer un Palais Idéal, elle peut, à travers les années, vous attirer notre sympathie et notre estime : elle a dû aussi, cette volonté, faire de votre vie un travail passionnant, adoucir vos mœurs, développer votre imagination et vos muscles. Elle nous a fait voir ce que c'est que le Palais Idéal d'un facteur Cheval, et cela est passionnant. Elle peut nous inspirer toutes sortes de réflexions, et, bien sûr, elle a fait de vous un excellent *personnage extraordinaire*. Elle n'a pas pu faire de votre Palais une œuvre d'art.

Pourquoi ? Est-ce que vous n'étiez pas assez doué, facteur Cheval ? Est-ce votre culture qui n'était pas suffisante ? Etiez-vous vraiment moins cultivé que Cézanne qui ne s'intéressa jamais qu'à lui, que Rodin qui sut à peine lire ? D'où vient que vous êtes resté en marge, sur cette frontière de l'art qu'est le pittoresque et l'inattendu, sans jamais pouvoir la franchir ? Vous aviez patience et persévérance, et modestie ; vous aviez adresse et imagination, vos deux géants en témoignent, qui pourraient, à une nuance près, avoir été conçus par Paul Klee. Ce goût que vous aviez pour vos pierres, votre patiente recherche ressemblaient aux nôtres quand, au long des journées, nous amassions et traînions nos propres sensations comme vous vos pierres les plus grosses « pour en faire quelque chose ». Et que nous ayons été, facteur Cheval, plus doués que vous, je ne le crois pas : vous fûtes assez habile, puisque vous exprimâtes exactement ce que vous désiriez. Et que nous ayons été, facteur Cheval, plus cultivés que vous, plus fournis en références de tous genres, cela ne faisait que nous nuire, nous aveuglant sur nos choix véritables, quand nous allions chercher « notre petit contingent ».

Nous étions, en réalité, tout semblables à vous. Et nous le serions toujours, si nous étions restés, facteur Cheval, le nez baissé sur nos cailloux, aussi brillants, aussi tachetés, aussi pareils à nos rêves d'enfants qu'ils aient été. Ce qui nous a sauvés (ou perdus, diront certains), ç'aura été de lever la tête, tout à coup, et de regarder la nuit, et de nous ouvrir à elle, et de nous demander, peut-être, pourquoi nous étions là.

Après, nous avons repris la brouette, puisque

c'était notre instrument, à nous. Mais notre Palais Idéal, nous avons essayé d'y laisser une place pour la nuit.

Cailloux.

Mon ami René est venu me voir l'autre jour. Il est romancier, et même un bon romancier. Ses cailloux sont choisis avec goût, il sacrifie à sa collaboration tous ses moments de liberté, car il a un « second métier » qu'il exerce avec courage pour nourrir ses enfants et une femme qui, comme Mme Cheval, soupire avec fierté et amertume devant ses soirées laborieuses. Du facteur Cheval, René a le regard pur, bleu, naïf, un peu myope et la parfaite bonne foi. Il s'active à son Palais Idéal, avec une ardeur vraiment digne d'éloges. Il doit réussir, comme on dit. « A cœur vaillant rien d'impossible. » René arrive un matin, bouleversé, ses yeux myopes pleins de larmes.

— Que faire ? Ma maîtresse est enceinte !

Je m'étonne. René, une maîtresse... Il n'est pas homme pourtant à gaspiller un temps précieux dans de vaines intrigues et à délaisser la chasse aux cailloux pour la chasse aux papillons. Au surplus, je le sais homme méthodique, et il vient d'entreprendre une réfection de son appartement : il n'est pas dans son caractère de s'engager financièrement sur deux tableaux.

— Tu as une maîtresse ?

Il a un geste révolté.

— Mais non ! C'est-à-dire... Voilà, tu vas comprendre... (Il s'installe. Son doux visage lunaire témoigne de la douleur de l'innocence injustement châtiée.) Ce n'est pas du tout que j'aie une maîtresse. Tu me connais, j'adore Marthe, les enfants, je fais refaire mes peintures, je n'aurais pas été...

— C'est bien ce que je me disais.

— Je n'aurais pas été prendre une maîtresse en ce moment. Mais il y a mon roman.

— Ah ! Il y a... ?

— Oui. Je voulais raconter le destin d'une de ces filles qui... que... Jacqueline était justement ce genre de fille. Des réflexions, une façon de parler, et jusqu'à ses vêtements, il y a des choses qu'on ne peut pas inventer, tu sais ça. Je suis sorti avec elle, c'était bien normal, et au cinéma, figure-toi que... C'est absolument mon personnage, tu sais. Alors...

J'avais compris. « Jacqueline » n'était plus pour lui une femme, une rivale de Marthe, un danger pour ses enfants chéris ; mais, sous l'influence de la nécessité, comme il peinait, hypnotisé par la place vide de son édifice, par ce trou vacant qu'il fallait bien remplir, un matériel indispensable, découvert par miracle à portée de sa main, un CAILLOU ! Découverte éblouissante : René était un facteur Cheval ! Ne l'avais-je pas été moi-même ? Cela avait pourtant été le début de « l'art » pour moi.

Aussi loin que je puisse remonter, c'est-à-dire

vers ma douzième année, le besoin d'écrire s'identifie pour moi au besoin de conserver, de faire durer. Vers ma douzième année, je fis avec ma mère un voyage de quelques jours à la campagne, dont je tirai un cahier, une sorte de roman humoristique (!) intitulé *Le Voyage à Beersel*. J'avais écrit auparavant un ou deux cahiers sur des sujets assez fantastiques : des histoires à la Jules Verne, des romans de scaphandriers. Mais ils ne m'avaient pas procuré la même satisfaction que ce « roman vécu ». L'impression que ce voyage bien que terminé était « utilisé », qu'il existait une deuxième fois, et cette fois d'une existence définitive, qu'il y avait à la vie un mode d'emploi, une façon de n'en rien perdre, cela me donna pour la première fois un sentiment de sécurité, une paix, que pendant de longues années je trouvais en écrivant, et rien qu'en écrivant.

C'est un grand plaisir, en effet, et une grande tranquillité de penser que, tandis que passent les jours et les événements, s'emmagasine en vous, comme à votre insu, comme automatiquement, une richesse qu'au jour choisi vous n'aurez plus qu'à utiliser tout tranquillement. Que ces êtres, ces chambres, ces paysages, aussi beaux qu'ils soient, aussi émouvants, ne passent pas, fugitifs, mais se groupent, se répondent, s'étagent. Rien n'est plus alors inutile. La fuite du temps ne crée plus alors l'angoisse, mais le plaisir de la possession, puisque ce temps perdu est au contraire à jamais gagné. Le Palais Idéal se construit avec les cailloux de la route. La fatigue s'oublie. (Elle s'oublie, et ne s'accepte pas. J'y reviendrai. Et à l'autre paix, qui est d'accepter que le livre aussi, fugitif, passe...)

Je comprenais donc bien la façon et le plaisir de travailler de René. Cependant l'idée ne m'était jamais venue de créer des événements afin de m'en servir. Je me contentais de ce que le temps m'apportait, je ne faisais fi de rien, ce que je n'utilisais pas était mis de côté, mais l'idée ne m'était pas venue de susciter ces matériaux, de bâtir des nuages, de figurer dans une sorte de comédie que je me jouerais à moi-même et qu'ensuite je copierais. Je demandais à René d'autres détails. Cela me paraissait curieux.

— Tu ne l'as jamais aimée ?

— Oh ! Jamais ! dit-il avec indignation.

— Mais peut-être un désir...

— Mais pas du tout ! Je te le dis, je ne pensais qu'à mon livre ! J'ai rencontré cette fille par hasard, et je me suis dit : « Voilà tout à fait le personnage qu'il me faut » ; je l'ai invitée, et...

— Et tu as succombé ?

— J'ai senti qu'elle ne se révélerait tout à fait qu'à l'homme qui... dit-il pensivement. Les femmes, vois-tu...

— Et elle est enceinte.

Son visage s'affola de nouveau.

— Oui, crois-tu ! Quel ennui ! Et Marthe, et les enfants, et...

163

— Tes peintures, je sais. Et tu es bien sûr que c'est toi...

Son doux visage inhumain redevint tout à coup plus terrestre. Un soupçon de fatuité ternit un instant son éclatante ingénuité.

— Oh ! Elle m'adore ! dit-il.

Je rassure tout de suite le lecteur sensible. La maîtresse de René n'était pas enceinte, et, bien que « l'adorant », elle se consola lorsque, ayant reçu ses épreuves, il rompit distraitement. Elle se consola, dis-je, de la perte de René. Se consola-t-elle aussi aisément, s'étant dans les pages toutes fraîches reconnue, de n'avoir été qu'un caillou ? Je ne sais. Il se peut qu'elle se considère dorénavant comme une muse, une source d'inspiration. Il se peut qu'elle ait acheté dix exemplaires de « son » roman, et les distribue à ses nouveaux admirateurs. Il se peut qu'elle ait davantage plaisir à être elle-même, à se regarder, dans un miroir. Et que, lorsqu'elle sera bien vieille, le soir, à la chandelle...

Oui. Tout de même, si une lueur lui vient un jour de ce qu'avait de concerté son aventure, de cette place de bouche-trou, délimitée à l'avance, qui lui était assignée, et dont elle n'avait pas la moindre chance de sortir, quoi qu'elle dît, quoi qu'elle fît ; si elle s'aperçoit que, s'épanchant en sublimes niaiseries sur la scène de ce petit théâtre dont René était dans l'instant l'unique spectateur, elle n'improvisait pas, n'éblouissait pas, ne créait pas en pleine liberté un spectacle qui eût (par hasard) *inspiré* un livre, mais qu'elle jouait (souffrant, peut-être, d'un rôle un peu étroit, ou d'un registre de voix trop grave, ou d'un mot trop savant, trop naïf pour elle) ce livre *pré-écrit,* cette aventure préméditée, victime d'une fatalité de bazar, d'une fatalité à couverture Gallimard ou Grasset, d'une fatalité à cinq cent quatre-vingt-quinze francs (si le rôle était mince, épuré, réduit à cent soixante pages in-jésus) ou allant jusqu'à douze cents, douze nouveaux francs, si vraiment il était vécu jusqu'au bout, ce rôle, s'il traînait des alluvions réalistes, des détails connus d'elle seule, mais soigneusement *orientés,* car il était décidé depuis le début que sa mère s'appelait Stéphanie et qu'ils iraient au *Dupont Latin,* elle portant une blouse d'un certain rose écœurant qui en somme serait le leitmotiv du livre ! rose attirant, rose écœurant, rose d'entrailles et de baiser et de ruban de petite fille, tour à tour figurant la répugnance, la satiété, et puis, de nouveau (la veille de cette rupture *déjà écrite, déjà pleurée, déjà vécue,* avant qu'elle en eût même le moindre soupçon), signifiant dans une dernière flambée de pitié, de désir, l'enfance, l'innocence, et l'ignorance qui était la sienne (qui l'étaient vraiment, et qui l'étaient dans le livre de René) ; si, tout cela, elle pouvait le pressentir, si peu que ce soit, n'aurait-elle pas tout à coup ce frisson, cette humiliation de femme surprise au bain et qui se sait sans beauté, de femme séparée de son corps qui tout à coup est jugé, condamné traîtreusement, alors qu'il s'abandonnait confiant aux flots tièdes, se croyant libre encore de ne rien signifier...

Je n'ai pas pour habitude de juger mes amis. Ce qui me choquait, dans l'aventure de René, ce n'était ni son infidélité, ni son imprudence, ni même la façon désinvolte de sa rupture : c'était le manque de liberté de tout cela. Si l'on préfère, le manque d'inspiration. Ce doux visage de bourreau me paraissait plus inquiétant de n'être pas cruel, de se croire poussé par une nécessité. De la créer, cette nécessité. Il ne s'agissait plus même d'utiliser le temps, la vie, le hasard, mais de les déformer ; d'être à soi-même une fatalité, et aux autres. Comme rien ne pouvait modifier le roman de René qui dès la première page était fixé, décidé, rien ne pouvait altérer le cours de ses amours préfabriquées.

En somme, j'étais choquée qu'il n'eût pas été accordé à Jacqueline (et, aussi bien, à la Jacqueline du roman) la moindre chance d'exister par elle-même. Ce qui, dans tous les mélodrames du monde, se traduit par cette adorable phrase : « Je vous ai servi de jouet ! » Non, pourtant. Entre jouet et joueur règne une convention tacite ; l'enfant qui fait d'une cuiller une poupée ne la renie pas entièrement pour cela ; il sait, et le charme du jeu tient dans cette ambiguïté, que sa poupée est aussi cuiller. Ambiguïté des demi-amours, qui leur prête un charme de profanation. Non, jouet est encore un mot trop libre pour les amours de René, les livres de René. Le mot d'accessoires me paraît plus juste. On s'en sert dans un but bien déterminé, on le repose sans même le regarder. « L'objet de son amour » est aussi une expression bien enrichissante ; comme le « sujet de votre livre ; « Ça parle de quoi ? » dit-on. Et laborieusement, l'auteur : « Eh bien, voilà... (temps), il s'agit d'un vieux monsieur très riche qui... » *Il s'agit de.* Tout le monde est rassuré. Ça n'a de rapport avec rien. C'est bien clos, c'est bien à part, c'est de la littérature, c'est de l'amour, ça ne concerne que l'auteur, que l'amant, qui peuvent sans aucune conséquence faire défiler n'importe quelle image, réclamer n'importe quel plaisir, sans que nul ne se mêle de cet univers que j'appellerais, si je l'osais,

le bordel intérieur.

Le mot peut paraître un peu gros. Et pourtant, on pourrait dire sans vouloir aucunement exagérer, que beaucoup d'amours, et des plus poétiques, sont des amours de bordel. Alex, qui aime les anomalies, les monstres, me raconte que X, metteur en scène connu, ne peut faire l'amour qu'à des femmes harnachées comme des chevaux, parcourant au grand galop son appartement. Par ailleurs, le harnachement mis à part, n'importe quelle femme d'âge et d'attrait raisonnables, fait l'affaire. Curieuse image. Et comme le vice, pour qui ne le partage pas, paraît absurde et presque poétique ! Cette femme harnachée me fait songer à certaines miniatures persanes où la courbe déliée et d'un brun délicat d'une hanche féminine évoque en effet la noble cambrure du cheval ; et la légende qui nous montre des femmes-renardes, des Biches-au-Bois, me fournit aussitôt une femme-cheval harnachée de rouge sur fond gris, une sorte de sphinx que j'imagine ailé, des bijoux dans sa crinière, touchant à peine du bout de ses sabots, à hauteur de nuage, les coupoles étincelantes et les minarets blancs. Hélas, les sphinx ne volent que dans notre imagination ; il faut lourdement retomber lorsqu'on apprend que le sphinx (marqué peut-être, en signe de son appartenance terrestre, d'un vaccin au bras, d'un pli de cellulite à la cuisse) se fait payer cent nouveaux francs pour galoper en appartement. Pauvre évocation essoufflée, qui s'en retourne au sortir de ces douteuses féeries peler des pommes de terre dans un évier fendu, est-il vraiment besoin d'elle pour une imagination un peu libre ? Alors qu'il y a des femmes auxquelles il suffit d'un œil long, étiré sur la tempe, d'un sourire léger, d'un coup de vent dans une chevelure sombre, pour être plus sphinx que nature ?

Mais s'éprend-on même d'une chevelure, d'un sourire, d'un bel œil énigmatique, sans que dans cet amour entre un peu d'artifice ? Car voilà le poète envolé au-dessus des minarets, des coupoles, des villes blanches, le beau masque entre les mains, tandis qu'un visage dépouillé de toute magie attend en vain qu'on le regarde. Qui rit du poète pourtant n'a pas, quoi qu'il en croie, la meilleure part ; lui aussi manque d'inspiration. Par haine d'un arbitraire, le voilà prisonnier d'un autre, et qui manque de charme. Il faut réconcilier les deux visages, accorder à l'un (quel qu'il soit) d'être l'ombre de l'autre, et si l'on ne peut regarder à la fois dans ces deux directions, sentir pourtant que l'une est à l'autre complémentaire — en attendant l'impossible harmonie. Impossible et pourtant toujours proche. L'instant où Vincent Van Gogh, entre sa destinée et sa liberté, entre la menaçante folie et la volonté surtendue qui l'utilise et qui l'intègre, en meurt, comme éclaté en plein ciel dans ce climat où l'absolu désespoir touche la joie absolue, se fond en elle, où ces deux visages enfin se reconnaissent, s'acceptent, et se fondent dans ce qu'on appellera

la mort.

La mort, parce que c'est l'instant où cesse le combat. La mort, l'harmonie — drôle d'assemblage, couple contradictoire, inséparable pourtant. On craint la mort, et on lutte pour arriver au point où doutes, incertitudes, inquiétudes mourront. On

craint la mort, et on cherche le sommeil. On craint
la mort, mais davantage encore la vie.

Est-ce que je crains la mort ? Et même, est-ce
que j'y crois ?

Quatre fois déjà, en mettant un enfant au monde, j'ai cru à la mort. J'y ai cru pendant les deux
ou trois jours qui suivaient le choc de l'accouchement, et le goût particulier de cette angoisse, du
gouffre prêt à s'ouvrir devant moi, je peux le retrouver encore en moi, pas très profondément re-
couvert par le glacis des jours.

Il y a des femmes qui aiment l'enfant qu'elles
portent dans leurs entrailles, dit-on. Il y a des
femmes qui accouchent avec un sourire de bonheur. Pour moi, cette lente croissance dévorante
de l'enfant qui mange la chair, la force et le cerveau de celle qui le porte, comme un cancer qui
dévore la vie, n'a d'autre terme que la mort. La
paix même que je ressens, enceinte, et qui me
fait accueillir sans trouble mille petits ennuis
quotidiens qui habituellement m'obsèdent, est la
paix orgueilleuse des condamnés. Rien n'existe
plus que ce terme, que cette date inéluctable, *à
laquelle je ne puis rien changer*, que ce moment
surtout où je sentirai ce petit crâne dur (qui alors
n'est pas le crâne de mon enfant, mais une sorte
de squelette malfaisant, de force ennemie, contre
laquelle je ne peux rien) mû par une force auto-
nome, implacable, qui veut se frayer un passage,
se le fraie, cependant que, dans un effort déses-
péré de survie, je suis contrainte de l'aider, et où

170

je l'expulse avec horreur, avec haine, couvert des algues de mon corps, enfin libéré. Qu'on l'emporte, qu'on l'enlève, que je repose enfin. Pendant deux jours, il me faut prendre des somnifères, oublier, à toutes forces oublier. Le troisième jour, je puis enfin rencontrer le regard vague et bleu de ma dernière fille, à mon côté, ce bébé si beau pour lequel, comme on dit, « je donnerais ma vie » (*et c'est vrai*).

D'où cette horreur ? Car je n'ai pas peur de la mort. Je consens, et même je désire, que la vie ait un terme. Cela me paraît mieux organisé ainsi. Il m'arrive de me demander, aussi souvent (et plus) qu'on se demande : « Suis-je bien coiffée ? » « Serais-je prête à mourir en cet instant ? » et quand je puis me répondre : « Oui », j'éprouve une satisfaction parfaitement paisible. Je consens à mourir, de toute ma volonté. Alors ? D'où l'horreur de cet instant, heureux pour bien des femmes, où l'enfant de mes entrailles fait sa poussée têtue à travers moi, vers la vie ? Horreur du souvenir de ta naissance, Vincent aux yeux bleus, aux cils noirs, dont les six ans m'émerveillent chaque jour, ce miracle allant de cette « lèvre supérieure légèrement relevée » comme la princesse Lise de Tolstoï, à ces dessins merveilleux naissant d'un crayon manié avec négligence. Quel rapport entre le miracle de ces deux ans, quatre ans, six ans, treize ans, de ces cheveux soyeux, de ces gaucheries gracieuses, de cette encre partout, de cette mêlée de petits corps insaisissables dans la vieille baignoire, avec ce corps arqué d'un long déchirement, avec ce cri que j'ai entendu avec stupeur sortir de moi : « Enlevez-le ! *Tuez-le !* » *Tuez-le*, oui. Je ne pensais pas à lui, pas à l'enfant, bien sûr. Mais à cette force qui m'ôtait le pouvoir de penser, de décider, d'*être*. Ce n'est plus être qu'être une douleur, une bête ouverte et hurlante habitée d'un incompréhensible encore que banal cataclysme. Cataclysme admiré, comme tous les cataclysmes. Ne dit-on pas : « Un bel orage », « un beau tremblement de terre », « un beau cancer ». La bonne vieille matrone alléchée par l'événement, commentant : « Ah ! C'était un bel accouchement ! On l'entendait hurler jusqu'au bout de la rue ! »

D'où cette horreur ? Mais aussi, d'où cette paix qui la précède ? Double mouvement que l'on retrouve à chaque instant, oscillation d'un balancier que l'on s'obstine à suivre des yeux. « Du moment que je suis enceinte », pense la jeune mère, « du moment », se dit le malade, « que je suis condamné... » Oui, du moment qu'ils ont, que j'ai, un alibi, on ne peut vraiment pas leur demander, *en plus*, de penser, de vivre. Du moment qu'ils sont malades, ou remplissent les « fonctions sacrées » de la femme, ou ont quatre enfants, ou sont pauvres ou sont vieux ou, pourquoi pas, sont des « artistes »... On ne va pas énumérer les alibis possibles. Les gens ont tant d'imagination ! Il n'y a qu'à les entendre proclamer : « J'ai quatre enfants, moi, monsieur ! », pour passer devant vous au cinéma, ou : « J'ai fait Verdun », parce qu'ils ont enfoncé l'aile gauche de votre voiture... Mais sournoisement, je vois que mes alibis reviennent sur le terrain. Je parlais de la mort. Paix de la mort-alibi, ou de ce qui en tient lieu. Paix, abdication, qui ressemble à l'acceptation comme le mensonge à la vérité — à un fil près. Mais la mort, l'infirmité, les quatre enfants (et l'art), une fois *acceptés*, cessent de servir d'alibi, de refuge : il faut tenter de vivre.

Pour moi, ce n'est pas de mourir qui m'angoisse, c'est de mourir sans y avoir consenti, sans être parvenue encore au point où l'on peut incliner le corps à consentir (sans abdiquer) à sa propre destruction. Ce n'est pas d'écrire qui m'angoisse, c'est d'écrire sans contrôler encore cette nature à laquelle le travail devrait consentir, sans abdiquer. Ce qui m'angoisse dans l'amour, c'est l'effort nécessaire pour l'incliner dans le sens où il me paraît devoir aller, tout en lui laissant sa spontanéité native. Dans la poésie, c'est le double jeu des deux visages de la réalité. Et dans la vie, c'est cette mort qu'il faut admettre et non servir — *dont* il faut se servir, dirais-je volontiers. Se servir pour vivre, et non pour dormir.

Consentir sans abdiquer, c'est peut-être un maître-mot ?

L'attirance des « passions » (que je crains tant
pour n'y être que trop sujette), l'idolâtrie des passions ne me paraît provenir que d'une triste impuissance, au moins mentale. Peut-on révérer les
passions quand on les connaît ? Alibis encore ; ce
n'est pas ma faute. Attirance des passions, attirance de la mort : double visage. On les craint, on
les désire. Ces hurlements de l'accouchement (que
je m'excuse d'avoir étalé ici, mais ce n'était qu'à
titre d'exemple), ces soubresauts de l'agonie, comme les bonnes gens aiment en parler ! A en parler, et non à en tenir compte. Car qui vit sa vie
en consentant à ce qu'elle soit limitée, en tenant
compte du fait qu'elle est limitée ? Presque personne. Et en revanche, presque tout le monde
aime parler de la mort, renifler la mort, s'excuser
par la mort de ne pas savoir vivre.

Ce ne sont que souffrances surhumaines, atrocités gargantuesques, fleuves de sang, dont se dé-
lectent également matrones et journalistes. Concierges, vieilles femmes de toutes sortes qu'on
aperçoit le soir, somnolant sur des chaises de
paille devant les hideux, les ingénus pavillons,
veilleuses de mort, lectrices de faits divers, laveu-
ses de nouveau-nés, je l'ai dit et je le répète, vous
êtes la forme moderne du Destin. Qu'on songe à
ce que représente, pour un immeuble tout entier,
l'humble ou arrogante femme tapie dans l'antre
noir où elle noue son fil de Parque dans une odeur

174

épaisse de pantoufles et de cassoulet ! Concierges !
Adorées ou haïes, on les retrouve après les guer-
res, les ruptures ou les enterrements, immuables
figures à caracos bariolés, prêtes à vous proposer
le « petit café » salvateur dans l'ombre empuan-
tie, ou à stigmatiser d'un mot votre attitude dans
ces péripéties. Dans ces loges seules, et dans certains taudis où pourrissent doucement des mon-
ceaux de chiffons dans des boîtes crevées de la
Marquise de Sévigné, fleurit à l'état pur ce culte
de la fatalité, ce goût de mort que nous ne re-
trouvons qu'à de rares occasions sur nos lèvres.
Sans le vil truchement de la raison, la malédiction ou la louange déferlent sur l'un ou sur l'autre, avec la violence de l'absurde, la puissance impitoyable des grands cataclysmes naturels. Si le
Patron est la figure symbolique du Néant qui se
veut Néant, la Concierge, elle, est une assez bonne
allégorie de la Nature. Tantôt nourricière, et qui
vous comble de soins immérités. (« Et si je vous
faisais un petit ris de veau pour ce soir ? Si, si,
vous avez les pâles couleurs, je vous le ferai bien
manger, moi... » — là, elle est positivement mu-
tine), tantôt marâtre, sans plus de raison appa-
rente et qui vous fait vivre un perpétuel hiver,
sans courrier, sans plombier, sans feu (« Et quoi
encore ? Je ne peux tout de même pas monter des
télégrammes, toutes les cinq minutes ! »). Concierges ! La mort vous plaît, elle est votre amie,
elle vous fournit l'occasion d'être utile (« Je sais
laver les morts ! » disent-elles avec orgueil), de

faire de petits profits (« Je me charge de tout »), mais surtout, surtout, la Fatalité est votre sujet. Vous l'enjolivez, la cajolez, la développez, et ce sont ces récits lourds de sens, lourds de suc, qui traduisent le mieux le complexe sentiment qui nous incline au bord de ce gouffre, avec un attirant vertige.

Monologue de la concierge.

— On ne sait pas qui vit ou qui meurt, dit la concierge. C'est toujours les meilleurs qui partent. Tenez, le monsieur du premier, un homme doux, mais doux, et qui avait tout pour être heureux : auto, télé, réfrigérateur, et un bon ménage : la dame était aux petits soins. Eh bien, le voilà qui prend froid, un homme qui se soignait, qui puait l'eucalyptus — et il puait bien — et toujours, en rentrant du bureau, un grand cache-nez, un sachet de chez le pharmacien, pour ça il ne lésinait pas, alors que le jour de l'An, on pouvait toujours courir... Enfin, c'est pour dire qu'il se conservait tant qu'il pouvait. Et puis puff... en huit jours... (un geste de faucheuse). Que voulez-vous, quand on est marqué...

Hochement apitoyé de la tête. Puis des bras, geste fataliste : on n'échappe pas à son destin. Puis quelques détails, l'air important, scientifique.

— Figurez-vous qu'on l'a ouvert. Qui sait si on ne soupçonnait pas la dame, ou la petite ? Micmac d'héritage, je dirais. Eh bien, en dedans, il était noir, paraît, noir comme de l'encre. Et dans ses boyaux, il paraît qu'il y avait des NŒUDS ! A force de se faire du souci, oui, des NŒUDS ! Finalement, c'était pas de tousser qu'il est mort, mais d'une autre maladie. Je vous le disais : un homme marqué.

Elle boit son café à petites gorgées, une goutte tombant sur son corsage de laine verte, qu'elle écrase du doigt avec une suprême nonchalance.

— Ce qui fait le malheur des uns fait le bonheur des autres, dit la concierge. C'est la petite du premier qui va pouvoir s'en donner avec son amoureux. Il faut voir comme ils s'aiment ! Sur le banc, là, je les vois, bouche à bouche, jusqu'à des vingt minutes. Et le père, une fureur ! Un jour, il les voit de loin, le garçon se sauve, il tombe sur la petite avec son parapluie, ce n'était pas pour rire, je vous jure. Un homme si doux ! Elle n'a pas pu sortir de trois jours.

Elle soupire, se lève, poussive (elle paraît jeune pourtant, quarante ans peut-être, une grosse blonde molle, qui peut devenir terrible) et va remettre sur le gaz, flamme sainte qu'elle n'éteint jamais, la cafetière-filtre.

— Je les aidais, moi, ces petits amoureux. Lui me donnait une lettre, une commission. Il me faisait des sourires, mais je ne m'y laissais pas prendre : c'est peut-être lui qui a conseillé à la petite de... hein ? Qui le saura jamais ? C'est ça, l'amour !

Ainsi coulent de ces lèvres intarissables, et du même flot, suppositions monstrueuses, descriptions horrifiques, adages philosophiques et attendrissements nauséabonds. Et la mort au fond de tout cela, et l'absurde au fond de tout cela. Ce mort si doux (parce que mort) qui bat sa malheureuse fille (malheureuse à cet instant, mais peut-être, un instant après, empoisonneuse, qui sait ? Elle est peut-être *marquée*, elle aussi ?) et les amoureux sur le banc, si gentils (parce qu'amoureux) mais qui, dès qu'ils quittent leur rôle, le bouche à bouche émouvant de vingt minutes, et leur accessoire, le banc traditionnel, deviennent « capables de tout ». Ce sont les *personnages* du récit que construit la concierge, et l'on remarquera que chacun joue plusieurs rôles, selon qu'il rencontre sur son chemin ces grandes figures immuables. Mort, Amour, Argent, Jalousie, qui l'animent comme une marionnette, et, aux yeux de notre Pythie, le justifient pleinement.

Devant ces changements à vue, la concierge s'écrie : « C'est la vie ! » et cette exclamation revient dans toutes les circonstances où il lui semble qu'un flux irrésistible arrache l'homme à sa pauvre petite personnalité, le démet de sa volonté débile, et le ploie à quelque excès surprenant ou à quelque transformation subite. Ainsi, c'est la mort qui lui fait s'écrier le plus souvent : « C'est la vie ! » et cette constatation que je fais bien souvent m'incite à la réflexion.

Car enfin, j'aime « la vie », à la façon dont l'entend la concierge. J'aime aimer, j'aime écrire, j'aime avoir des enfants, et j'aime une belle manifestation de rue, un bal du 14 Juillet, j'aime être en colère et transportée de joie, j'aime boire et manger trop. J'aime nager et marcher dans le vent, rire, faire des scènes et pleurer au cinéma. J'aime par-dessus tout les fêtes, les longs repas prémédités, les bougies dans le chandelier en bois coloré, trop de fruits sur un énorme plat, trop de vin dans les cruches en terre, trop de gens, trop de fumée, une tarte gigantesque, la surexcitation des enfants, une gifle donnée à la hâte, les crêpes fumantes, les boules brillantes de l'arbre de Noël, et je voudrais me couper moi-même en tranches comme le pain de seigle sur la table en bois, et me distribuer à tous ceux qui sont là. J'aime mes parents parce qu'ils sont mes parents, mes enfants parce qu'ils sont mes enfants, j'aime mon mari et moi-même, mon travail, mes amis, le monde et les hommes. Et, dans le fond, j'aime faire l'amour et accoucher en hurlant. La tradition, quoi. « Mon côté réactionnaire », me dit gentiment la jeune-femme - de - gauche - qui - se - fait - avorter - par - programme.

Ce brillant tableau, fêtes de famille et liens du sang, comporte aussi des enterrements. La mort. Les hurlements. Les « il a souffert, comme ce n'est pas possible ! » qui entraînent sournoisement le « les choses étant ce qu'elles sont, il y en aura toujours qui... et d'autres qui... » Et on en vient tout de suite à l'injustice qui vaut mieux que le désordre, aux beaux sentiments qui ne font pas la bonne littérature, à chacun son métier et aux vaches, à la politique qui n'est pas le sentiment, et à la bienveillante indulgence pour l'artiste inspiré. Comment se dépêtrer de tout cela ? J'avais pourtant un bel avenir, comme réactionnaire ! Ou comme concierge ?

Mais c'est raté, n'en parlons plus. J'aime « la vie », donc. Dirais-je : je l'aimais ? Et j'aimais, j'aime, l'idée de mort qui met un terme convenable à cette aventure qu'il ne conviendrait pas de poursuivre indéfiniment. Ce que je n'aime pas, c'est cette tendance (la mienne autant que celle des autres) à se noyer dans cette vie, à s'y perdre, à en faire une mort prématurée, même si ce n'est qu'une « petite mort ».

A moins, bien sûr, que ce ne soit avec innocence. Mais est-on jamais innocent tout à fait ? Est-on jamais tout à fait « bête », à défaut d'être ange ? « Je ne veux pas le savoir », disent ces grandes figures allégoriques, le Patron et l'Adjudant. C'est donc qu'ils soupçonnent ce *le* d'avoir une existence ?

Je ne sais pas ce qu'il contient, ce *le*. Mais je sais que le soupçon mène à cette recherche qui, une fois commencée, ne s'arrête plus, et me poursuit jusqu'au plus banal

Je me demande pourquoi on en revient toujours à des histoires d'amour. A l'apparence des histoires d'amour. Parce que, dans le fond, rien de plus faux que les histoires d'amour d'Etienne, peintre nordique et blond, qui m'invite avec sa femme. Non, soyez tranquilles, nous ne parlerons pas de la vie et de la mort, ni du mensonge, ni de politique. Parlons comme un magazine féminin, d'un mariage qui ne tourne pas rond (Etienne et Renée), d'un couple d'amants parfaits (Pierre et Suzanne), d'une jeune femme à la mode (Clo) et d'un homme (Jean) qui aime la vertu. Un dîner bien banal. Il se passe dans un appartement exigu non sans charme, situé dans une vieille maison sympathique. L'escalier crasseux donne à Etienne, quotidiennement, confirmation de ses dons d'artiste. Il possède aussi un atelier au sixième, arrangé dans trois chambres de bonne. Renée n'est pas jolie : maigre, noiraude, un visage assez fin (mais pourquoi n'est-elle pas jolie, au fond ? A nouveau, le magazine féminin : vous êtes jolie si vous le voulez. Oui, les laides aussi sont jolies, etc. Omniscient, le magazine féminin.) Clo, elle, est jolie, je suppose, son pantalon à pois, son chandail de paille tressée, l'édifice de ses cheveux l'affirment ; le fait qu'elle ne mange pas assez et à des heures irrégulières, la cerne agréablement, donne un air

181

de langueur à un visage un peu dur. Renée s'habille de façon effacée (tailleurs anglais et cache-
mires), soigne sa table (serviettes multicolores,
plats de fruits très médités, un sarment tordu sur
la cheminée, se détachant bien sur le mur blanchi
à la chaux), parfaite maîtresse de maison, femme
sacrifiée. Etienne portera son vieux chandail blanc
sale, son pantalon maculé de peinture, et elle dira,
avec une impudeur passionnée : « N'est-ce pas
qu'il est beau ? » Il est beau, en effet, le menton
un peu mou, l'œil un peu incertain, mais la stature imposante, le visage régulier, l'œil bleu et le
cheveu blond du Viking. Pierre et Suzanne arrivent ensuite, avec des fleurs ou des fruits, ou
quelque offrande propitiatoire, vin ou fromage,
par laquelle ils s'excusent d'avance de n'entendre
qu'eux, de ne voir qu'eux, de n'exister que pour
et par eux-mêmes. Jean sera bon dernier, comme
toujours. Il arrive essoufflé, anxieux, les traits ti-
rés : il a toujours un nouveau malheur à raconter.
Un enfant qui a la rougeole (il est le seul à avoir
des enfants, ce qui lui donne droit à des rides
supplémentaires), les impôts, Jeannette, sa femme, qui souffre de tous les maux. On le laisse raconter. Renée sert enfin le repas, il est plus de
9 heures, Etienne se lève pour mettre un disque sur l'électrophone. (« Plus fort ! demande Clo.
— Moins fort ! » supplie Jean-qui-a-eu-une-journée-
terrible, toutes ses journées sont terribles.) Tout
est en place, la « spécialité » de Renée (moules
marinières ou couscous, je ne sais plus) fume sur

182

la table, chacun se saisit de sa serviette, le dîner commence.

Pierre et Suzanne savourent les moules (ou le couscous). « Ce n'était pas si mauvais, n'est-ce pas, ces moules ? Et Renée était... Le pantalon de Clo, tu n'as pas trouvé... ? » Ils n'ont pas quitté la petite chambre douillette qu'ils se sont bâtie. Ils regardent par la fenêtre, ils parlent à la cantonade, ils sont au spectacle, blottis dans la loge chaude et obscure, s'amusant, s'indignant, mais séparés des autres par une rampe ou par un mur : *à l'abri.* Cela arrange tout le monde. Ils ne dérangent personne et ils sont si faciles à cataloguer : des amoureux. C'est si rassurant, ce pacte de non-agression qu'ils ont conclu avec le monde ! On les invite beaucoup : « Ils sont charmants ! » Suzanne travaille dans une maison d'éditions, Pierre est au musée de l'Homme, ethnologue, oui mais en chambre, cataloguant les voyages des autres, collectionnant les anecdotes, un peu désabusé, charmant, petit, vif, l'œil noir, et elle aussi, mince, souple, on les croirait parents, cette façon qu'ils ont de se serrer l'un contre l'autre comme des oiseaux, amuse ; ils ont un appartement ravissant d'ailleurs ; et beaucoup de relations. Une histoire d'amour, leur histoire ?

Renée se dépense ; elle met son point d'honneur à ce que, malgré leurs moyens limités, tout soit parfait. Ces moules (admettons que ce soient des moules), elle s'est levée à 6 heures pour aller les chercher aux Halles ; les jolis verres à pied, elle les a rassemblés un à un dans les ventes, en Charente, où elle passe ses vacances désargentées, près d'une tante. « Il faut bien que je me console de l'absence d'Etienne », dit-elle *d'une certaine façon*. Etienne, tout le monde le sait, ne prétend pas prendre de vacances. « Tu sais bien que je ne peux pas me faire à ces vacances qu'on prend en même temps que tout le monde. Ces loisirs organisés me tuent... » dit Etienne, d'une certaine façon aussi. Il préfère passer août à Paris, on l'y rencontre un peu ivre dès le matin en enlaçant une fille laide (cent fois plus laide que Renée) pêchée à la Grande Chaumière, ou au sortir d'un atelier de quatorzième ordre, à laquelle il déclare sa flamme avec une ardeur sincère et brève comme un éclair. Quelque Américaine dégingandée, une Irlandaise qui boit avec lui, une ravissante Italienne qu'il promène partout et abandonne on ne sait pourquoi, le douzième jour, pour une Nordique aux cheveux sales, sans le moindre attrait visible, abordée dans le métro, et qu'il déclare vouloir épouser. Il l'écrit même à Renée qui montre sa lettre à douze personnes, déclare, le visage ravagé, qu'elle ne s'opposera pas à son bonheur, et rentre le 1ᵉʳ septembre chargée de bibelots et persuadée (à juste titre) qu'elle retrouvera tout dans l'ordre. « Il est toujours épris de quelqu'un », dit-on d'Etienne. De Renée : « Elle est parfaite. Elle souffre d'ailleurs atrocement. » Pierre et Suzanne, du moins, le disent. Etienne le dit : « Ça me prend comme une folie, je ne sais pourquoi je suis incapable de résister... » Il se tient la tête entre les mains, volontiers, et boit par système. Son tableau rouge est en panne, il n'a pas de contrat régulier, il ne sait pas, décidément, s'il est non figuratif ou informel, ou même naïf, pourquoi pas ? Il absorbe passion sur passion, comme des comprimés d'aspirine. Ce soir, il découvre Clo, leur amie depuis longtemps. Il mange de moins en moins de moules, boit de plus en plus de vin blanc (il est délicieusement glacé, malgré l'absence de réfrigérateur : ô parfaite Renée) et se met en devoir de s'éprendre de Clo, rejetant loin, dans la pénombre de l'inconscient (comme du linge sale refoulé, en hâte, dans une armoire), l'idée du tableau rouge, de l'absence de contrat, du compte en banque surnageant à grand-peine grâce aux vaillants efforts de Renée. Son attitude devient plus tendre, il n'écoute plus que Clo, ne regarde plus qu'elle, tout disparaît, chaque regard, chaque rasade, nouvelle révélation, repoussant plus loin la conscience importune. Pierre-et-Suzanne échangent un regard à la fois désolé et (comment dire ?) confortable. Quel malheur que cette inconstance d'Etienne ! Pauvre Renée, qui devient fébrile, renverse un verre, plaisante à faux. (« Alors, il n'y en a plus que pour Clo, ce soir ? ») Eux ne se sont jamais trompés, presque jamais disputés. Suzanne admire tant le travail de Pierre ! Elle rit de si bon cœur à ses anecdotes ! Elle connaît si bien son faible : il se désole de n'être pas un créateur. Elle sait l'apaiser, le convaincre de la portée de ses écrits, tandis que lui, à son tour, la dorlote, lui laisse jouer à trente-deux ans les femmes-enfants, plaisante son goût pour les romans policiers, les fêtes foraines, les glaces à la vanille. Quel confort supplémentaire que le spectacle d'un couple désuni ! D'ailleurs, ils la plaignent sincèrement, cette malheureuse Renée qui dit maintenant à Suzanne, venue l'aider dans la cuisine, à Jean, tout prêt à porter en plus de ses soucis ceux des autres (avec, même, une prédilection pour ces derniers) : « Je ne puis jamais garder une amie. Il s'éprend de *toutes*, régulièrement. Il faut que je m'y habitue. »

Au dessert, Suzanne et Pierre, émus de pitié, se tiennent la main sous la table. Jean, avec la conscience réconfortante d'accomplir une bonne action (« Non seulement je passe huit heures au bureau, j'endure l'humeur de Jeannette et ses maladies, je soigne les enfants en rentrant, il m'arrive même de préparer les repas, mais encore, partout où je passe, je répands l'apaisement... »), goûte son épuisement réel comme une sensation rare et entretient Renée d'ennuyeux sujets (elle le remercie d'un regard : « C'est bien inutile, mais je suis touchée. ») Etienne, ivre aux trois quarts, passe son bras autour des épaules à peine réticentes de Clo, et pense avec obstination : « C'est cette femme-là qu'il me fallait ! Celle-là ! Et je l'aurai, il le faut ! » Et Clo : « Je suis aimée ! Il m'aime ! Cela m'arrive à moi, je suis aimée, il me trouve belle, vivra avec moi, un homme à moi, en-

tièrement à moi, Renée n'est rien pour lui, etc. »
Clo a vingt-huit ans, mais si mince, si souple, si
bien coiffée, si hardie dans son habillement, ses
manières, ses goûts, qui devinerait qu'elle fut une
enfant laide, fille d'un petit coiffeur d'Angoulême
et d'une mère juive, elle très belle, mais qui dut
se cacher pendant la guerre ; double disgrâce. Clo
s'est dit : « Je ne serai jamais aimée » et elle ne
croit pas tout à fait à Clo, à ses colliers de hari-
cots laqués, à ses pantalons à pois, à son allure
juvénile et à sa fausse beauté, si à la mode, ou
plutôt : elle y croit dans les yeux d'Etienne, ce
soir. Elle veut y croire. La pièce est soudain illu-
minée d'une lumière toute spéciale, les mots se
heurtent, les visages sont fardés de vin, de regards. René souffre de façon éclatante, elle en devient presque belle, c'est ce qu'elle sait le mieux
faire, souffrir. Pierre et Suzanne contemplent le
spectacle en se caressant dans le noir, il faut qu'ils
soient bien supérieurs à Etienne, à Renée pour
être si heureux, et Jean oublie qu'en rentrant chez
lui, il a promis de laver la vaisselle, il aide Renée
à souffrir, il se sent rayonner, dégouliner de bonté
(sensation que ne lui procure pas la vaisselle).

En somme, c'est un dîner tout à fait réussi, où
chacun a rempli son emploi, tenu son rôle : spectateur, amant, artistes, ivrogne, sacrifiée, apôtre...
Mais où sont allés dîner Jean, Pierre, Suzanne,
Renée, Etienne, Clo, enfin, eux-mêmes, s'il y a un
Pierre, une Suzanne, une Clo qui ne soit pas uni-
quement cet acteur d'un rôle tout écrit, ce consen-

tant prisonnier d'une convention qui le dispense de toute initiative ; car enfin, prononçant les mots que l'on attend d'eux, se jetant la balle, avec quelques précautions (si elle allait briser les verres des Charentes !), qu'est-ce qu'ils font là, impénétrables l'un à l'autre, enfermés dans leur confort, leur amertume, leur orgueil, leur sensualité, leur souffrance ? Est-ce bien la peine de se réunir pour *attester ainsi de l'identité les uns des autres ?*

Et d'une identité d'emprunt, par surcroît. Célébration d'un rite, assimilable à la visite du Musée (Joconde, N° 36 633), à la discussion d'affaires (Combien aviez-vous dit déjà ?) ; célébration d'un rite où l'on est complice, complice comme la prostituée qui se harnache ou s'habille en mariée ; on se vêt d'une apparence de séduction ou de souffrance, on danse le pas de l'amour et de la mort, et où est l'amour là-dedans ? Un rite, un pas de danse, et le plus facile à apprendre. Mais encore ? Bien banal tout cela. D'où, mon angoisse ? Un dîner bien parisien, après tout, un dîner à la fois bien banal et bien « romanesque », toujours dans le sens où l'entendent les magazines féminins. Le cadre, vieille maison « aménagée » ; les personnages aux professions élégantes : ethnologue, peintre, mannequin (Clo), ingénieur chimiste (Jean) ; les intrigues latentes (Pierre-et-Suzanne qui s'épouseront, ou non, Jean qui n'aime plus sa femme mais la redécouvrira à l'occasion d'une rougeole presque fatale à son dernier-né ; Clo qui aime Etienne mais se sacrifiera, Renée qui aime Etienne et l'attendra, Etienne qui...), tout y est pour faire un roman féminin par excellence, c'est la vie quotidienne, les problèmes idiots et inoffensifs de tout le monde, c'est ça qu'on aime lire le soir dans son lit, ou dans son bain en se « relaxant », des histoires qui n'ont aucun rapport avec l'art, la guerre d'Algérie et l'existence de Dieu. Des histoires qui n'ont aucun sens, bêtes, mortes.

Un dîner de morts, voilà ce que je revois, dans mon souvenir ; un dîner de roman, où des mannequins débitent un dialogue écrit d'avance, tout en répliques « psychologiques » et en mines « révélatrices ». Oui, je revois Renée, embellie par cette flambée de souffrance qui farde son visage, et qu'elle entretient savamment, et je réentends les mots qui *s'échangent*, que ce mot est juste.

— Il faut bien que je me console de l'absence d'Etienne.

— Tu sais que je n'aime pas ces vacances à date fixe... Paris est agréable en août.

— Et les Parisiennes. Ou plutôt les Américaines.

— Pourquoi pas ? dit Etienne. Et j'aime bien les Angoumoises aussi.

Clo place un petit rire aigu.

— On sait que tu es d'une bienveillance universelle, dit Renée. Mais c'est avec les Nordiques qu'il a le plus de succès. Mais si, tu en es assez fier. Il me force littéralement à lire les lettres de toutes ses admiratrices. Elles veulent se tuer pour lui, c'est extraordinaire. D'ailleurs, tu y crois, n'est-ce pas ? Il croit de bonne foi qu'il est amoureux de toi, Clo. D'ailleurs, il ne peut peindre qu'ivre et amoureux, j'y suis résignée...

Elle a vraiment un visage extraordinaire, Renée. Elle sourit, elle serre les dents, elle étincelle, brillante, tendue, acérée, elle souffre à crier, elle meurt, elle est heureuse.

Pierre-et-Suzanne : c'était affreux ; Etienne est un sadique, ah, mon chéri, ma chérie... (A l'abri, définitivement à l'abri de tout cela, qui leur répugne et les attire un peu, de loin, vu de la loge du théâtre ; mais comme ils sont heureux de rentrer chez eux !)

Jean : tous ces déchirements, ces tentations, je plane bien au-dessus, quelle joie d'en voir la profonde futilité, ma bien chère Renée, si je puis quelque chose... si, si, je vous appellerai demain à 8 heures... (La vertu n'est pas gaie, mais le vice non plus, songe-t-il.)

Clo : je suis folle, je sais qu'il ne m'aime pas, un soir, un seul soir, pourquoi pas, je suis libre, ardente, sans préjugé, je suis folle, c'est divin... (Ai-je mis mon nouveau soutien-gorge Sweet ?)

Etienne : il me la faut, je la veux, là, ce soir, tout de suite, je déborde de force, de fureur, de virilité, je suis emporté par un tourbillon, je *suis* ce tourbillon, vite, vite.

Et Renée, bien sûr, prête à s'enfermer dans la

salle de bains, que dis-je, à ouvrir le lit, à déshabil-
ler Clo, à...

Mais là, on m'arrête, non, ce n'est pas un dîner
banal, du moins ce couple, ce sont des

monstres !

Facile à dire. Les gens adorent parler de monstres. Eichmann est un monstre. La concierge-qui-
martyrisait - son - petit - neveu - de - cinq - ans est
un monstre. Le F.L.N. et l'O.A.S. tous des monstres, bien sûr. Le monsieur qui va au bordel. Le
communiste. Céline. Cet enfant est un monstre : il
a raté son bac, pense donc, *exprès !* Les nazis, les
fascistes, les Allemands, les Bicots, les Rouges,
les assassins, les vivisecteurs, les Autres... des
monstres. Monstre type : un satyre qui a violé une
petite fille de dix ans : « Non, il ne l'a pas violée,
il l'aimait seulement », dit quelqu'un. « C'est pire,
répond le Patron, le viol, au moins, c'est *naturel.* »

Le crime aussi, c'est naturel. Mais le « crime »
d'Etienne et de Renée (je veux dire le son faux
qu'ils rendent, le malaise qu'ils me causent) est-il
seulement de ne pas être naturels ? Oublions Clo.
Clo disparaît. (Il serait séant qu'elle partît au Né-
pal avec un producteur d'extrême-gauche, je
trouve. Elle reviendrait végétarienne.) Donc *exit*
Clo. Qui s'est plaint de cette aventure ? Pas elle,
qui continue de jouer la femme libre et émancipée,
moderne (mais, à cause de ses nouvelles fréquen-

tations, son adoration de la divine fantaisie se transforme en une liberté plus virile, franche et loyale, et elle porte un imperméable d'officier). Pas Etienne, qui n'a pas eu de refus à subir au salon de mai, puisqu'il n'y a pas présenté de toile ; il est un fou, pas un raté, c'est très différent. Et pas Renée, qui l'avait « toujours dit ». Elle triomphe. Après tout, puisqu'elle « l'avait bien dit » (que Clo serait la maîtresse d'Etienne et qu'Etienne s'en lasserait), elle peut presque se dire que sans elle rien ne serait arrivé. Elle peut ne pas éprouver l'humiliation de la femme trompée, mais l'orgueil de qui a choisi sa souffrance.

Ce choix : ce qui me gêne un peu. Pourquoi ce choix ? Pour cacher quoi ? (Enfants qui font semblant de boiter, pour détourner une attention des passants, qu'ils redoutent. Fait courant.) Réaction du même ordre chez Renée ? Complexe ? Suivons-la. Il est évident qu'elle insiste trop sur les succès féminins d'Etienne ; elle en parle, elle appuie, elle le pousserait presque dans cette voie. Elle y a pris elle-même quelque chose de trouble, d'équivoque, elle ira jusqu'à vanter Etienne comme une marchandise, jusqu'à recevoir ses maîtresses, les encourager, sinon les séduire. Même, on se demandera, petit à petit, si, dans cette voie, Etienne la précède ou la suit seulement. Lui-même n'en est plus sûr. Quoi qu'il en soit, il lui est étroitement lié. C'est peut-être ce qu'elle veut. Mais cette moisson de femmes qu'elle lui offre, et l'orgueil qu'elle tire de ce rôle de *Deus ex machina*, ne cache-t-il pas la blessure plus secrète de n'avoir pas su le guérir de son trouble et de son incertitude ?

On pourrait supposer aussi une vengeance : Renée saurait qu'en poussant Etienne (qui n'a pas su l'aimer) sur cette voie de dissipation, elle l'empêche de résoudre son problème créateur. En fait, on pourrait supposer n'importe quoi, en partant de ce petit problème pour Courrier du Cœur : un homme qui trompe sa femme et une femme qui souffre.

N'importe quoi. Et quoi qu'on suppose d'un peu approfondi, d'un peu creusé, d'un peu vrai, les gens de s'écrier : quels monstres ! Ou alors : pourquoi aller chercher des personnages si peu sympathiques ? Or, ce qui est peu sympathique, ce n'est ni Renée ni Etienne (aussi bien, ni Clo, ni Jean, ni moi), ce qui est peu sympathique au lecteur, c'est qu'on aille un peu au fond des choses. Car enfin, en surface, Jean est un brave homme, Clo une charmante écervelée, Etienne un « artiste » passionné et volage, Renée une malheureuse femme pleine de mérites et pas jolie. Ce qui est monstrueux, c'est de dire que le vrai problème n'est pas là. N'est pas seulement là. Renée est orgueilleuse et complexe. Clo a peur du monde, Etienne a peur d'échouer et peur de réussir. Noire forêt symbolique où l'on n'aime pas s'engager. On préférera la creuse apparence, le *personnage* léger comme un beignet et facile à digérer.

Ou alors, « c'est la vie » on aimera *trop* à se perdre dans l'obscur méandre des déterminations.

Examinant Renée, Etienne, Clo, comme des insectes biscornus dont la carapace a pris forme
toute seule, et dont ils sont sans espoir prison-
niers, on s'écriera avec la concierge : Ils sont
marqués !

N'y a-t-il donc, entre la dérisoire liberté des
romans-feuilletons et la fatalité wagnérienne de
ma prophétesse en pantoufles aucun accord possible, aucun rapport possible ? Et si Renée ne peut
être expliquée ni par sa volonté ni par sa nature
(et moi-même, et ce livre) comment expliquer,
exprimer Renée ?

Qu'on ne puisse pas exprimer les choses dans
leur totalité, il y a là un obstacle auquel je me
heurte régulièrement, dans un mouvement décou-
rageant de marée. Il a fallu que je me mette à
réfléchir pour découvrir que le mouvement de la
réflexion ne suffit pas à appréhender les choses.
Là encore, double visage, double mouvement, oscillation dont je ne pouvais venir à bout, dont
il n'était peut-être pas souhaitable de venir à bout.
Ce mouvement était la vie même, et le figer aurait
été le tuer.

Mais alors, ma recherche ? N'était-elle pas tout
entière infirmée ? Ne sortais-je de l'absurde que
pour entrer dans l'arbitraire ? Avant comme après,
il me manquait une dimension. Ma vraie recherche
devrait être, non de substituer l'un des visages
de ma vérité à l'autre, mais de découvrir leur lien,
leur rapport. Sans quoi, au bout de ma pensée,
comme qui tourne en rond au centre d'une forêt,

je ne retrouverais que ma propre solitude — ces visages, ces lieux, ces instants ne seraient rien d'autre que les signes d'un rébus à la solution identique : mon propre nom.

Cette pensée me poursuivit particulièrement après ce dîner chez Renée ; à cause de son ameublement. On parlait toujours de son goût parfait ; Jean l'avait encore ce soir-là complimentée sur ces verres des Charentes, verres paysans, tout simples, tubulaires et montés sur pied, mais de proportions si parfaites que nous les avions tous admirés.

« Cette proportion, m'étais-je dit, elle existe, visiblement, pour chacun de nous. Elle montre qu'existe, entre nous, une unité de beauté, un commun dénominateur. En admirant ensemble une proportion, nous prouvons l'existence d'une valeur extérieure à nous-mêmes. »

J'avais été heureuse, un long moment, de cet accord entre nous, si fugitif qu'il pût être. J'aimais Renée, de passer tout un après-midi à réussir un bouquet, une corbeille de fruits, à trouver l'emplacement d'un objet, d'un vase blanc sur un mur ocre. Qu'est-ce qui approche plus, au fond, de ce que j'étais — de ce que je suis — en train de faire, rassemblant mille petits fragments, cherchant l'instant où la mosaïque sera pleine et parfaite, chacune de ses parties indépendante et inséparable des autres, liée aux autres par ce fameux rapport ?

Mais si ce rapport d'ocre et de blanc ne signifie

que « Renée », si ce rapport d'encre et de papier, signifie « moi » seulement, nous pouvons toutes les deux, objets absurdes, nous situer dans un monde absurde, et sans *rapport* avec rien ? S'il suffit de signifier, de signifier soi-même, en quoi réfléchir est-il bon ou utile ? Le Patron n'affirme-t-il pas, au moindre mot, au moindre geste, sa bêtise granitique à inspirer Dubuffet ?

Non, je ne pouvais consentir à cela. Consentir à n'être que soi-même, c'est consentir à n'être pas. Mais refuser d'être soi-même est la source de bien des égarements. Il faudrait ici raconter une histoire morale. Celle de Jean, qui aima trop la vertu. Cette histoire aurait une triple utilité : elle me servirait d'exemple ; elle me permettrait de respirer un peu — et au lecteur, que lasse ma réflexion laborieuse ; enfin, elle me disculperait peut-être du lourd soupçon de vertu que font peser sur moi des personnes mal intentionnées. Je me demande si ce dernier point n'est pas, peut-être, le plus important. Puisque je multiplie les parenthèses et les diversions, pourquoi ne pas en profiter enfin pour hurler avec exaspération, comme l'envie m'en prend de temps en temps, que

non, je ne suis pas vertueuse !

Ou si je le suis, c'est sans le vouloir. Après tout, puisqu'on me l'affirme, il y a peut-être quelque chose de vrai là-dedans. Ce qui est étrange, c'est que cette affirmation vient toujours de personnes qui désirent m'être désagréables. Jamais je n'entends énoncer pareille affirmation par mes amis, unanimes au contraire à me signaler mon mauvais caractère, le besoin brutal de sommeil qui me prend dès 8 heures du soir, mon esprit de sérieux et mon manque de sérieux, les deux se conjuguant, paraît-il, de façon insupportable. Mais aucun, jamais, ne me reproche mon excès de vertu, ni ne se met en devoir d'écrire là-dessus un article. Il faut tout de même qu'il y ait dans cette « vertu » supposée un élément bien provocant, pour qu'une Dame respectable prenne la peine de me le reprocher par écrit, en première page d'un journal !

Mais, après tout, pourquoi ne le serais-je pas, « vertueuse », si cela me plaît ? Et que viennent faire mes pauvres enfants (que cette Dame, et d'autres, me jettent toujours à la tête : d'autres personnes pourtant ont eu quatre enfants sans scandale !) dans cette galère ? Qui leur prouve, d'abord, que je les ai faits exprès, ces enfants ? Il s'agit peut-être d'une coïncidence malheureuse, d'une conformation naturelle ; qu'y puis-je si je ne suis pas stérile ? C'est du racisme, enfin ! que cette exclusive jetée sur les mères de famille ! Je me lève tôt, c'est entendu. Mais enfin, je me suis toujours levée tôt et couchée de même (comme la grande majorité des gens) sans pour cela soulever l'admiration des foules ! Qu'importe cette

Dame, me dira-t-on. Mais si elle m'agace et m'intrigue, c'est à la façon des photographes de *Paris-Match* : elle cristallise un malaise de la même espèce. Celui de voir se transformer en une image figée et passablement ridicule une suite d'instants fortuits apparemment sans conséquences.

Il n'est pas d'instants sans conséquences : voilà déjà une bonne chose que m'apprend cette étrange intervention et ce reproche injustifié. De jeunesse tumultueuse en jeunesse incertaine, d'enfant en enfant, de livre en livre, alors qu'on croit tâtonner, aller un peu à l'aventure, souffrir un peu, oublier beaucoup, puis tout à coup s'apercevoir au fil d'une réflexion ou d'un livre qu'on n'a rien oublié du tout ; alors qu'on peine à comprendre, qu'on craint de comprendre, qu'on comprend, et aussitôt d'autres problèmes, d'autres livres (et incidemment d'autres enfants), bref, *alors qu'on vit*, avec un peu la sensation de bricoler, de fabriquer quelque chose d'un peu boiteux, mais de bien intentionné tout de même, avec tous les bouts de ficelles qui se présentent (« C'est moi, le bout de ficelle ? » dit Jacques, pas trop flatté), tout d'un coup, cette révélation prodigieuse : on est une personne *vertueuse !* Toute dépourvue de préjugés que l'on soit, on a tout de même un sursaut : bon Dieu ! Qu'est-ce que j'ai fait ?

Puis on se rassure. Rien de pire, après tout, si j'avais roulé Jaguar et bu du whisky (j'en bois à l'occasion, et très volontiers) ; là encore, l'image se serait figée et prise à la glu d'un cliché de troisième page, l'automobile la plus rapide caricaturant la vitesse, la niant après tout.

Ainsi tout se fausse dès qu'apparaît ce que, faute de mieux, j'appelle le mensonge, et qui n'est pas l'envers de la vérité mais son reflet, son miroir, sa mort. Mystérieux phénomène de transmutation, qui me laisse perplexe chaque fois, et presque émerveillée. Ce ne sont pas tant les mots qui mentent que la façon dont ils sont prononcés, et l'adjectif faux ne s'applique jamais plus justement que dans l'expression « chanter faux ». Mais allez empêcher les autres de chanter faux à votre place ? Et sur un thème que vous leur avez fourni ? L'important n'est pas là, il est de savoir ne pas entendre, et d'arriver à fredonner aussi juste que l'on peut son petit air à soi. Et c'est ce qui m'amène à l'histoire de Jean, que finalement je ne raconterai pas. A sa façon, elle est trop vertueuse aussi, cette histoire, tout en ne l'étant pas. Elle est trop claire et trop voulue, elle signifie trop évidemment quelque chose. C'est une démonstration, ce n'est pas une histoire, et Jean est trop ennuyeux lui-même pour que son histoire ne le soit pas.

Il a mal fait sa vie, comme on fait mal un livre, quand on veut trop prouver quelque chose. C'est gris, terne, on ne sait pas trop où est l'erreur, mais elle est quelque part... Elle me fait penser, cette vie, à un rapport de lecture : *Les personnages sont vrais psychologiquement, l'intrigue est bien construite, le style correct et clair, mais rien*

ne nous passionne, rien n'est vivant. Pourquoi pu-
blier ce manuscrit plutôt qu'un autre ? Oui, pourquoi ? Marié par vertu, père par vertu, militant
par vertu dans un parti quelconque, Jean n'arrive
cependant pas à donner de la vertu une image po-
sitive. Il a beau avoir choisi une femme ennuyeuse,
laver la vaisselle, aller d'un air préoccupé à des
réunions de groupe (en vacances, il doit s'inscrire
à des cycles de conférences, et rejoindre tous les
week-ends sa femme et ses jumelles sur une plage
bretonne ou normande), on a toujours l'impression
que ces obligations, il les crée de toutes pièces ;
elles ne forment pas un revers de la médaille, il
n'est pas un heureux père dans la vie duquel la
rougeole n'est qu'un accident, non, la rougeole
est sa raison d'être bien plus que les jumelles
qui n'en sont que l'occasion, les tristes exécutantes.
D'ailleurs, quand elles n'ont pas la rougeole, Jeannette, bonne épouse, s'empresse de se casser la
jambe, ou l'usine réduit ses effectifs, Jean lui-
même prend une bronchite au moment où Salan
organise un putsch, et il parcourt la ville (Jean,
pas Salan) dans sa 4 CV, avec 40° de température
(un 39° serait mesquin), distribuant des tracts,
ou *se portant sur les aérodromes.* Non que je
blâme ceux qui se portèrent, ou furent prêts à se
porter, à pied, ou... etc. J'en fus moi-même. Mais
les 40° de température, c'est trop. C'est l'adjectif
exagéré, la gesticulation malheureuse de l'acteur,
le lapsus révélateur de Freud : Jean en fait trop.
Quittons-le. Je ne me sens pas le courage de me

plonger dans cette vie abstraite à force d'être voulue. Un seul mot de plus. Visitant le Marais avec une conférence organisée, Jean entra par mégarde, dans un vieil hôtel, dans une salle de bains (ancienne ?) où se baignait une jeune fille. Il referma la porte. Ce trait le peint. Refermons-la aussi. Ce que je voulais dire de la vertu de Jean, c'est ceci : après tout, tant qu'à être au bordel, un déguisement est un déguisement. Une putain travestie en mariée et une putain travestie en cheval se valent : ce sont toujours des travestis. (Et une putain peut être *travestie* en putain, et la plus travestie.) Je trouve entre Jean et Etienne autant de ressemblance qu'entre un père avare et un fils prodigue : tous deux ne pensent qu'à l'argent. Eux, débauchés ou austères, se travestissent et en portent la peine ; ils ennuient. Jean par sa grisaille, le *bon employé*, Etienne par sa banalité, l'*artiste* sans loi ni frein. Leur travesti manque de grâce. Ils reprennent de l'intérêt si, à travers leur travesti, se devine leur corps (et l'on s'écrira : monstres) : ce goût, cette peur de l'échec pour Etienne ; chez Jean, cette suspecte pitié de la souffrance. Double plan, jeu d'ombre et de lumière ; une heureuse coïncidence peut faire naître l'étincelle poésie. C'est tout l'attrait du vice, et du déguisement.

Mais cet attrait né du hasard (car il n'éclate qu'à la faveur d'une faille du travestissement, du mensonge), comme il naîtra plus volontiers de la recherche de la vérité, avec ses incertitudes et ses continuels changements de registre ! Je ne crois pas que la poésie puisse se passer de vérité, c'est sa vertu à elle.

Mais à quoi bon, si ceci est posé, écrire autre chose qu'un roman ? N'est-ce pas dans le roman seul que ce double plan de la vérité — la vérité de mes personnages et la lutte qu'ils mènent pour et contre elle, ma vérité à moi et ma lutte pour et contre elle, et ce rapport entre eux et moi, ce rapport entre leur vérité et la mienne — peut se réaliser, s'incarner sans peine ? A quoi bon essayer d'analyser, d'expliquer ce qui *est*, ce qui *vit*, tellement plus pleinement, dans une œuvre ou dans une vie ?

J'écrirai donc un roman. Sur quoi ? Sur n'importe quoi. A cause de la confiance que j'avais autrefois, de plain-pied avec la nature, aujourd'hui de plain-pied avec moi-même, j'espère que, quoi que j'écrive, tout *signifiera*. Que quoi que je fasse, tout signifiera. Voici une parole qui m'a frappée depuis que je la connais : que vous mangiez ou que vous buviez, faites-le pour l'amour du Seigneur.

Je me traduirais cela par : quoi que vous fassiez, faites-le en vérité. Parce que ce qui me choquait, provoquait en moi cette bizarre angoisse dont j'ai parlé (et que j'appellerai volontiers l'*angoisse du vocabulaire*), ce n'était pas tant que les livres, les gens fussent *mauvais*, c'était qu'ils ne le fussent pas *vraiment*. Plus que la laideur d'une personnalité, c'était son travestissement qui me troublait

— plus que le désir, la violence, le mal, le faux désir, la violence compensatrice, le faux mal —, mais y avait-il un vrai mal ? Tout mal n'était-il pas avant tout une erreur ? Un vide ?

Le rite du producteur, l'adultère de René, la vertu de Jean, l'amour de l'art de Marcel, les amours d'Etienne et les souffrances de Renée, c'était là le lien qui les unissait tous — des travestissements. Et le « c'est la vie » de la concierge. Vie travestie en vie : pire que tout. Sans ces masques, sans doute, leur visage n'eût pas été plus beau, mais du moins eût-il été le leur. Ils auraient pu alors l'affronter, et, peut-être, le transformer.

Peut-être. Tout est dans ce peut-être, bien sûr. L'espoir et le désespoir, ce qu'on appelle la foi et que j'appelle encore le courage. Mais le courage est déjà dans ce regard qu'on pose sur soi-même sans rien refuser de cette découverte — sans la bêtise volontaire du Patron : « Je ne *veux* pas le savoir. » Le courage est déjà dans le vouloir savoir qui ne résout rien, mais contient toutes les résolutions. Réfléchir, c'est déjà prendre un parti, comme dit Luc. Et écrire ce livre. Et les autres.

Vivre en vérité. Le vouloir. Le pouvoir aussi. La liberté pour certains est si limitée ! Homme de bonne foi et de bonne volonté, Revel se moque pourtant de Danilo Dolci qui demande aux misérables de Sicile : « Comment vivez-vous Dieu ? » C'est-à-dire : quelle marge de liberté avez-vous conservée ? Où est pour vous le *choix* entre être en vérité et ne pas être ? Question dérisoire, insultante aux yeux de certains, posée à des hommes mourant de faim. La seule pourtant qui ait un sens, parce que la seule qui puisse soutenir sans défaillance le devoir de donner du pain à des hommes que la faim empêche d'être libres. Le pain libère, mais ne libère pas forcément pour le bien, douce illusion de tant de cœurs généreux. Il libère pour le choix, il libère souvent pour le mal, mais l'homme a droit à ce choix et à ce mal sans quoi il n'est plus homme. C'est peut-être ce qui faisait rire les jeunes soldats de S., devant ces vieilles réduites à l'état de bêtes ?

Encore S.

Privées de liberté, de choix — il fallait se battre ou mourir de faim, et l'instinct tout-puissant ne leur permettait pas de choisir la mort — mais on aurait pu dire aussi (peut-être était-ce là ce qui provoquait ce rire) délivrées du choix, délivrées de la liberté. Sans conflit intérieur, elles se battaient sans retenue, *avec innocence*. Des bêtes. On dit : ravalées au rang de la bête ; mais cette « dégradation » implique qu'il demeure une lueur de conscience. Ces bêtes décharnées n'en avaient plus, si jamais elles en avaient eu une.

Il y eut deux, plus agiles que les autres, qui vite, pourvues d'os et de pain, s'en allèrent se

cacher dans des ruelles proches. Trois continuè-
rent à se battre, presque en silence, avec un grondement sourd de chien, de temps en temps. Et
les jeunes soldats, derrière la grille du campe-
ment, étaient trois aussi ; un gros garçon qui devait avoir la charge de la cantine et qui avait renversé à terre ces débris de nourriture ; puis un
jeune garçon brun, assez beau, qui avait une expression de mépris ; le troisième avait une tête
ronde, naïve, morose. Des trois femmes, deux
étaient très maigres, vêtues d'ocre et de noir :
de grands sacs d'étoffe qui flottaient autour de
leur corps anguleux. L'une était presque chauve,
avec une taie sur l'œil droit, mais une superbe
denture blanche, qui, dans le visage émacié, semblait celle d'un cadavre ; l'autre avait de longs
cheveux gris tressés en nattes maigres, et une
sorte de petit turban, ou bandeau, les retenait,
par un reste de décence qui étonnait. La troisième
était presque grasse, d'une graisse flasque et maladive ; sa jupe rouge, son corsage à fleurs déchiré,
sa babouche unique, tout cela indescriptiblement
maculé et malodorant. La lutte se réduisit bientôt
à un combat singulier entre la première et la troisième, la vieille au bandeau blanc ayant reçu un
mauvais coup et s'étant retirée en gémissant dans
un coin.

Le jour se levait sur la caserne proche. Ce serait sans doute un beau jour, l'air froid encore
mais sec, le ciel encore voilé de brume s'éclair-
cissant de minute en minute. Il y avait des clai-

rons dans le lointain, comme dans un film d'aventures, et des façades blanches qui, un peu plus tard, resplendiraient sous le ciel bleu. Je m'étais levée tôt. Quel rapport entre mon bien-être, cet air pur, cette pénombre dense des petits matins de beau temps, et, derrière cette grille vite refermée (comme s'ils se protégeaient des fauves), ces trois visages banals, amusés, méprisants, moroses, quel rapport avec ce combat futile, dans la poussière, qui paraissait faire partie du matin, de la nature, une simple convulsion de bêtes inconnues...

Les bras décharnés de la lutteuse chauve faiblissaient. Un moment, ses dents s'implantèrent dans l'épaule de la plus grosse qui gémit, et le garçon derrière la grille (le plus gros, frisé, qui avait une « bonne tête ») s'esclaffa : « Elle va la bouffer ! » Mais la grasse femme usait habilement de son poids. Elle se roula adroitement sur l'autre, la paralysant ainsi un moment, l'étourdit d'un coup sur la tête, et triomphante, de tout son poids assise sur le corps de l'adversaire, elle leva sa tête plate, large, de crapaud, regarda le garçon frisé se tordre derrière sa grille, et *rit aussi*.

Délivrées de la liberté, disais-je. Oui, c'était bien un rire de délivrance, un rire complice. Elle riait, certes, d'avoir triomphé, mais aussi de n'en éprouver aucune honte, aucune humiliation. Elle riait avec innocence. Elle n'avait pas le choix : et, peut-être, était-ce aussi de là que provenait le rire du

206

jeune soldat ? De voir qu'il y a une limite
à la responsabilité humaine, et que la métamorphose de l'homme en bête est l'une des plus
faciles à réussir ? Oui, il y avait bien dans ce
rire une complicité ; sans doute ce jeune garçon
bien en chair, avec un air de garçon coiffeur méridional, une ombre de moustache sur la lèvre en
sueur, ne rêvait-il pas d'être réduit à ce point de
famine où il lui faudrait se battre au bord du
trottoir pour une gamelle de viande ; mais de voir
qu'une chose aussi simple que la famine suffisait
à réduire à rien ce fardeau dont il était comme
nous tous embarrassés le faisait rire, et rire de
soulagement. « Ce n'est que cela ! » semblait dire
son rire. « Ce n'est que cela. »

Oui, ce n'est que cela, cette liberté, cette vérité,
mise en péril à chaque instant, par ce chagrin, cette
maladie, cette passion... cette rage de dents. Ou
plutôt transformée, réduite, mais toujours exis-
tante ? Variant avec la variété infinie des possibli-
tés humaines ?

Luc dit : « Tu ne réussiras à rien en leur donnant à manger, à tes bonnes femmes. Ils avaient
bouffé, ces bons petits soldats, non ? Ça ne les
a pas rendus meilleurs. Alors ? » Il continue, heureux de m'apprendre quelque chose : « Les communistes eux-mêmes le reconnaissent ; ils s'intéressent à l'ouvrier, et pas au paysan, pourquoi ?
Parce que l'ouvrier est vraiment, pauvre, si pauvre qu'il n'a même pas d'*être*, le plus souvent.
Tant qu'il est la pauvreté même, il manifeste, il se

fait casser la gueule, colle des affiches, colle des enveloppes, est généreux et désintéressé, tout ce que tu voudras — non, je ne blague pas —, puis dès qu'il a trois sous, il s'achète une voiture, il s'achète une TV, et adieu les camarades. Il devient « bourgeois ». Mais c'est le même homme. Meilleur, tu crois ?

— Plus libre...

— Libre ! Mais ils s'en foutent, d'être libres ! A peine sont-ils « plus libres », ils s'enchaînent par le crédit, s'enchaînent par le mariage, par les gosses, par n'importe quoi pour ne pas l'être, libres ! Un joli cadeau à leur faire !

— Oui, ils s'enchaînent, mais ils ne sont pas enchaînés.

— Où est la différence ?

— Dans le choix.

Luc est vraiment découragé par mes propos.

— En somme, tu voudrais augmenter le niveau de vie des gens pour qu'ils soient libres de devenir des salauds, comme les autres ?

— Exactement.

— C'est moral, ça ! dit Luc en haussant les épaules.

Je ne sais pas si c'est moral. Peut-être ne suis-je pas plus morale que vertueuse. Je crois que c'est juste. Je crois que la part de choix de certains en ce monde est vraiment trop petite ; je constate que cette part de choix est souvent proportionnelle à une part de pain, de place. Donnons du pain, faisons de la place. Après, si leur choix est

une erreur ou un alibi, *ce n'est pas notre affaire.*
« Faire de la place pour des salauds en puissance,
dit Luc, tu as du courage ! » C'est lui qui a dit
le mot. Du courage.

Ainsi, de l'Afrique du Nord, me voici ramenée
sans heurt à mon sujet. Le courage. A mes goûts
mathématiques : les proportions, le rapport. A ce
lien qui me relie à mon sujet et mon sujet à la
vie du monde. J'ai dit, mon sujet, c'est Cézanne
à Aix. Je pourrais dire, mon sujet, c'est moi devant ce livre.

Présomptueuse comparaison ? Je puis l'exprimer
autrement. Par exemple, mon sujet c'est

Ghy à l'atelier.

Je la verrais assez, brune, le teint olivâtre (cette
« jeune fille verte » dont parle J.-P. Toulet), avec
une très légère asymétrie dans le visage, qui fait
son charme et qu'elle déplore, qui lui donne pourtant ce regard incertain et doux. Le regard doux,
la voix dure, d'une dureté un peu facile, un peu
vulgaire. Le défi de son menton mou, relevé. Une
jolie fille, bobineuse en usine. Pas grande, malgré
les talons immenses, mais souple, bien faite ; violente, contractée, timide, agressive, prompte aux
larmes et aux rires bêtes. Parents séparés sans
drame, mais que de mesquineries ! Après onze
ans, la mère réclame encore âprement deux seaux

à charbon et une trousse à couture que « l'autre femme » garda. Ghy, logée chez son père dans un débarras, point obscur mais qu'on traverse sans cesse, à plat ventre sur son lit, mâchonnant des friandises douteuses, vit branchée sur le rutilant transistor. Ah ! Le twist ! Et Paul Anka ! Le père emmerdant, sans plus ; il veut sa paie, et qu'elle fasse les spaghettis du soir, jetés en vitesse dans un bouillon Kub. La belle-mère, une blonde un peu con, dit Ghy, qui aime son intérieur, son couvre-pied en satin, la TV à tempérarent, elle est maniaque, mais maniaque ! « Ta lingerie partout, tu te crois chez toi ! » Tout le monde travaille, sauf le petit frère de neuf ans, qui réussit bien en classe et sera « quelqu'un ». Tout le monde rentre harassé à 7 heures, s'entasse dans les deux pièces aux cris de la belle-mère : « Tes pieds, André ! Pierrot, laisse le lait ! Oh ! Celle-là ! » Celle-là, c'est Ghy qui fait hurler le transistor et oublie, dodelinant de la tête, les biftecks achetés en rentrant et qui deviennent gris dans la poêle. En avoir marre, c'est le problème de Ghy. En sortir ? « Une chambre à moi », rêve-t-elle à la Virginia Woolf. Mais qu'y mettre ? Le transistor, bien sûr, et Paul Anka. Et puis ? Même de penser à ça, elle en a marre. Je ne vais pas, vous pensez bien, m'éterniser sur ces personnages « médiocres », dans cette maison « sordide », sur ces thèmes populistes. Il se peut que Ghy s'éprenne d'un vertueux syndicaliste, d'un blouson noir, couche avec l'un en aimant l'autre, pleure de ne pouvoir même

210

pleurer tranquille, dans son débarras-corridor. Là n'est pas l'important, mais cet enlisement qui fait que Ghy, attachante quand même, si brune, et le regard divergent de ses yeux verts (« Oh ! Je voudrais être infirmière, me dévouer ! » dit-elle, comme une vraie jeune fille du monde ; et puis, pendant un mois, va coller des affiches avec un beau brun qui parle bien ; puis laisse tomber), existe de moins en moins, de bal du samedi soir en bal du samedi soir (elle ne danse pas avec des bicots, jamais de la vie. Puis folle de Bouchaïeb pendant trois semaines : c'est dégoûtant, ce qu'on leur fait ; fasciste ! Puis, dégoûtée, elle s'avorte elle-même avec une sonde, aidée de sa belle-mère, et ces bicots tous les mêmes, salauds !), de bobipage en bobinage (c'est fatigant, ce travail à la chaîne, mais au moins pas de tracas, tu fais ça sans y penser, tu fais ça sans penser à rien, tu fais ça, ça, ça...). Au rythme, de la chaîne, la pensée s'étire et s'affine, disparaît comme un spaghetti, un mince ruban de pâte, un fil bientôt... Ghy est ce fil. Elle bobine, elle passe à la caisse, peut-être boit-elle un coup, ou seulement un petit café, et c'est deux cents francs qui s'en vont d'un seul coup dans la machine à disques. « Oh ! Merde, j'ai oublié le dîner, vite des nouilles, un œuf, un bouillon Kub », et le transistor à plein tube — mais elle rêve TV, mollement. Peu importe qu'elle « soit » maintenant « avec » un homme marié, qui a une pièce à lui tout seul, mais chez des amis ; il faut traverser leur salle de séjour : Ghy

211

est vouée à ces passages. Peu importe d'autres aventures, d'autres chambres transitoires, d'autres êtres « avec » qui elle est. En fait, Ghy n'est *avec* personne, pas même avec Ghy. La pensée qui s'étire sur le tapis de caoutchouc rogné n'est plus qu'imperceptible. Le jour où l'on propose à Ghy, bonne ouvrière, qui ne fait pas d'histoires, de passer à une nouvelle chaîne mieux payée, elle refuse. « Je tiens à mes habitudes », dit-elle. Repenser fût-ce ses mouvements, repenser fût-ce un seul geste, c'est trop, d'être autre chose, fût-ce quelques jours, que cette machine qui désormais fonctionne toute seule, bien rodée, bien huilée, et ne consomme rien, non, elle ne veut plus, elle ne peut plus, adieu, belles rages adolescentes, colères, affiches, chaînes de bicyclette ; adieu. Le tapis de caoutchouc roule, vide. « Elle est rangée, dit la belle-mère. Paul finira par divorcer. » Oui, sans doute, Paul finira par divorcer, tout finira bien, dans une H.L.M. de rêve, devant la TV opulente, fruit obèse des bobinages consciencieux, et Paul l'épousera, et ils auront « les allocations » comme dans un roman de Mme Rochefort.

Là n'est pas la question. Mais quelle est la question ? Ce n'est pas celle non plus que pose le curé du coin :

— Vous n'êtes pas mariés ?

— Qu'est-ce que ça change ? dit Ghy (à vingt ans, insolente, et elle ajoute des détails ; lasse, un peu plus tard).

Et en effet, rien n'a changé que ce tapis vide,

à perte de vue. « Comment vivez-vous Dieu ? » dirait Danilo Dolci à Ghy. Mais il aurait vite fait de demander : « Comment vivez-vous ? » et même : « Vivez-vous encore ? » On lui dira que c'est cynique, que Ghy est une victime de la société (et plus encore peut-être que les paysans de Sicile, car elle n'a pas faim et la faim parfois réveille). Quand le choix est de ne pas vivre, ou de vivre le bobinage, les spaghettis tièdes, les hautes cheminées grises de Puteaux, Paul et ses pantoufles et la sonde, la fin du mois et le début — si pareils, mon Dieu, si pareils —, le choix est déjà héroïque. Si Ghy choisissait de vivre et de penser, de vivre Ghy, de se penser Ghy, si limitée que soit cette pensée, Ghy aurait le courage de Cézanne. Mariée ou non.

Il est temps de dire sans feinte que je la connais bien, Ghy, et que je l'aime, toute vaincue par la fatigue de vivre et d'être. Elle a lutté, un moment, désordonnée, excessive, touchante dans ses efforts disparates. Petite sœur. Puis renoncé. Victime. Nous en tirons-nous tellement mieux ?

Nous aurions voulu l'aider ; nous ne le pouvions pas. Deviner sa vérité, ce qui l'eût aidée à vivre. Ce sont des découvertes que l'on ne peut faire que seul. Chacun contient cette vérité banale et mystérieuse comme un chiffre — cette liberté comme une proportion. Proportion, oui, ou encore, rapport, nombre d'or, mesure entre ces forces naturelles, ces contraintes et ces élans, et cette prise de conscience de l'esprit qui jauge son ma-

tériau, le soupèse, et se met au travail, à *son* travail.

Cent travaux, cent vérités différentes. Comment
vivez-vous Dieu ? Quelle est la forme de votre vérité ? Il en est de bien déconcertantes, de bien
difficiles à percer. « Que vous mangiez ou que
vous buviez, faites-le pour l'amour de Dieu. »
Faites-le en vérité. Mais s'il est difficile déjà de
comprendre la forme, pour soi, que prend la vérité, combien plus opaque celle des autres ? S'il
est psychologiquement difficile de demander à
l'homme qui meurt de faim comment il vit en
réalité, alors que de vivre, simplement, lui est
déjà une vertu, il paraît presque plus absurde
encore de le demander à d'autres, que les vagues
de l'existence ont façonnés de si étrange façon,
incrustés de matériaux si baroques, que les voilà
transformés en objets biscornus dont le manque
apparent de sens, le *pittoresque*, prend le charme
surréaliste de l'absurde.

Ces formes étranges que revêt l'activité humaine,
comme celle que revêt l'amour humain, on est bien
tenté de les répertorier, de les décrire, comme une
étrange flore et faune sous-marines, passionnantes
certes à observer dans l'eau glauque mais dont on
est à jamais séparé par un *autre élément*. Rien
de plus facile que cette attitude de zoologiste :
Ghy et Paul Anka, par exemple ; l'extraordinaire
émission de radio qui s'appelle, je crois, « le
rendez-vous de la musique de genre » et où une
voix agréable et sérieuse analyse le plus calmement

du monde, parlant d'« orchestration » et de « contrepoint sonore », *C'est ça l'amore* et un air des *Cloches de Corneville*. Et Frank Pourcell et ses violons magiques... Et le succès de Cronin, que Ghy dévore, palpitante, émue d'une émotion vraie, rêvant l'impossible, un *homme en blanc* s'éprend d'elle, ô dévouement, ô léproseries... Un jour, à dix-sept ans, Ghy (qui n'a pas son certificat d'études) écrit un poème. Je ne le transcrirai pas ici, même transposé, même transformé. Ce serait profaner un moment vraiment sacré — celui où, émerveillée de sentir frémir en elle un embryon de pensée, Ghy dit doucement : « Ce n'est pas beau, je sais... Mais je ne peux pas croire que c'est moi qui a écrit ça... »

Poème, incrustation absurde, contournée, dans le rocher sous-marin, fait d'alluvions désordonnées, d'élans biscornus, d'instincts de vie — objets hideux et respectables, poème qui ferait la joie du zoologiste, de l'amateur de pittoresque invraisemblable, unique joyau de bazar. Et l'idée du « chic » de Ghy ! La vie du Patron, ses anciennes activités sportives, ses « coupes » qu'il astique avec amour. Ce que représentait pour lui le sport : objet de recherches. Bien sûr, on peut parler des gens du monde, du salon de la duchesse, de ça aussi, un salon au fond de l'eau, c'est amusant. La promenade de l'un à l'autre, du comptoir du Patron au cocktail de l'éditeur, n'est pas moins attrayante ; on s'imagine visitant un aquarium silencieux ; l'allée centrale sombre et tiède, avec son étrange tiédeur reptilienne (circonvolutions des radiateurs couvant leurs plantes vertes) et les vitres lumineuses, les autres plantes dans l'eau agitant mollement leurs palmes, ces êtres que l'on contemple à loisir, dans le silence et la tiédeur de l'isolement, dans la quiétude du détachement, comparant les excroissances monstrueuses (et même le joli devient monstrueux, et pourquoi pas le monstrueux joli), les teintes irisées, étranges, les bulles que font ces poissons rares... « Décrire le salon de X en songeant à l'aquarium de Monaco. En termes océanographiques. » C'est le sujet de roman d'un romancier héros d'un roman de Huxley. Aquarium à quadruple vitre. Ce n'est pas l'auteur qui pense et qui projette à travers son roman, mais son héros, lui-même séparé par le truchement d'un second roman supposé de son sujet et ce sujet, volontairement distancié encore par son travestissement océanographique. Peut-on s'isoler davantage, prendre plus de précautions avec cette matière explosive des mots ? Romancier soi-même, on crée un romancier postiche ayant à écrire un faux roman où peut-être un romancier... On connaît ce procédé publicitaire qu'on voit proliférer sur les bouteilles d'apéritifs. Mais ces précautions, toutes ces vitres, ces gants, ces robots : on se croirait à Saclay. L'atome redoutable et imperceptible, c'est à l'instant où, de robot en robot et à travers l'épaisseur de toutes les vitres du monde, l'œil se pose enfin sur l'objet (l'œil *humain* à travers ses intermédiaires, l'objet *humain*

216

sous ses travestissements), ce point de rencontre, ce jugement de Dieu (puisque, aussi bien, le romancier ou l'artiste quel qu'il soit prend à cet instant le rôle de Dieu, est à cet instant le travestissement de Dieu), cette étincelle. Plus on prend de précautions plus on en souligne l'importance, de cet acte d'écrire, de peindre, de composer, qui *engage*, même s'il n'est pas engagé ; ce regard sur la vie qui juge même s'il refuse les termes de jugement. Et pourquoi serait-il réservé à l'art, d'ailleurs, cet instant de vérité ? Pourquoi l'artiste serait-il le seul à devoir répondre à cette belle définition de Léautaud : « Qu'est-ce qu'un écrivain, ou que doit-il être ? Un homme qui pèse ses mots, non seulement avant d'écrire, mais encore avant de parler... » Pourquoi, dès le moment où l'homme emploie les mots, n'en serait-il pas responsable ? Le romancier le plus subtil rejoint là le peintre le plus mystique, et les précautions nuancées de Huxley n'en disent pas plus long ni moins que les mots rocailleux de Van Gogh : « C'est une chose admirable de regarder un objet et de le trouver beau, et de le retenir, et de dire ensuite : je vais me mettre à le dessiner, et de travailler alors jusqu'à ce qu'il soit reproduit. » Oui. Il est beau de regarder un objet, d'en prendre conscience, de le vivre. Mais chacun le peindra à sa façon ? Mais ce regard posé sur l'objet ne sera jamais le même, ce jugement porté toujours différent ? Sans doute.

Mais cet effort, toujours le même. Cette prise

de conscience, toujours la même. Cette acceptation, toujours la même. Ce rapport, entre la conscience, le talent, l'être tout entier de Cézanne,
de Van Gogh, et de sa vie, entre l'être entier de
Ghy, et sa vie, entre moi-même et mon effort patient, et ce livre, le même.

Rapport vivant, sans cesse modifié, sans cesse
transformé par l'élargissement — ou le rétrécisse-
ment — du champ de la conscience. Toujours différent de forme, de domaine, de coefficient, et
toujours le même, beau rapport mathématique,
je ne veux pas finasser, je t'appellerai Dieu désormais.

TROISIÈME PARTIE

Donc voilà. Le roman policier s'achève. Il ne reste que quelques pages et l'on pressent, avec la satisfaction bien humaine d'avoir été clairvoyant, que l'assassin va être démasqué. On va pouvoir s'écrier : « Je l'avais toujours su ! Dieu c'était l'assassin. »

Ne reste plus qu'à l'appréhender, à le prendre au filet dans une belle page. Ce fut tel jour, à telle heure, que tout à coup... Nous sommes prêts à écouter l'auteur, détendus que nous sommes de tenir enfin la solution, de savoir *comment cela finit*. La clé, le maître mot nous est donné, avec toute sa ribambelle de vocabulaire qui le suit, sa petite cour d'automatismes affectant un seul et même sourire, comme les courtisans d'un Roi-Soleil. L'essentiel est posé. Il n'y a plus qu'à déduire. Les étiquettes sont prêtes, et le bon sourire de ceux qui ont enfin compris. « Ah ! bon ! Je ne vous *situais pas*... » Moi non plus, à vrai dire, je ne me *situais* pas. Alors, c'est fait ? Ne reste plus qu'à se lancer dans une cinquantaine de pages pleines d'élévation qui feront plaisir à tout le monde, voyons ! A K. par exemple. Je ne le connais pas, mais on me dit qu'il n'est pas de mes amis, et je m'en aperçois à le lire.

Distes-lui : Dieu, c'est l'assassin. Il exulte, il se précipite sur sa plume, il analyse et déduit ; du roman à scandale, elle a passé sans scrupules au roman catholique. Oh ! Ce n'est pas mal visé. Toujours les gros tirages. Au rythme d'un roman tous les deux ans, elle peut vivre confortablement. Et il y aura dans cette antipathie que me voue, pour quelle obscure raison, K., un nouvel élément de cordialité, un peu de la trouble attirance qui lie le flic au criminel qui a « mangé le morceau ». Je lui ai facilité la besogne, rendu plus aisé de me condamner : il m'en a une espèce de reconnaissance, lui aussi. J'entre dans un jeu, dont il connaît les règles et le langage. L'aveu est enregistré, j'ai dénoncé mon complice, rien d'autre ne compte : Dieu était l'assassin. Incarcération immédiate.

Et pourtant non. Entre ce jour où, enfant, m'avait attirée pour la première fois le portail béant de l'église, entre ce jour où, adolescente, m'avait émue la vue de ces têtes penchées, et celui où, vieux et neuf à la fois, le nom de Dieu m'était revenu aux lèvres, il y avait eu de grands espaces riches et vierges de pensée, de grands espaces où la germination, sans doute, se faisait, mais dans quelle pesante obscurité ; et du jour où j'avais pensé enfin (et cru peut-être qu'il y avait là un aboutissement) « ce rapport, je l'appellerai Dieu désormais » au jour de juin où je devais marcher, sous les marronniers poussiéreux de l'avenue Latour-Maubourg, vers une petite chapelle où l'on m'attendait, il devait y avoir encore un long sommeil, un long travail, et, peut-être, une longue peur.

Pourquoi ? Sans doute, pourquoi ce temps perdu, cette attente, alors qu'un pas seulement, semble-t-il, aurait suffi à me faire franchir cette frontière. Pourquoi ? Mais aussi pourquoi la

première église ?

Curiosité. Oisiveté profonde de l'enfance. Angoisse aussi. Sans doute, il y a des passions puériles pour une compagne de classe, bien sûr, ou cette maîtresse bien coiffée aux yeux froids, qui ne s'en doutera jamais. Il y a bien, le soir, assise devant une table de cuisine (elles me sont restées chères), la vue mélancolique des jardinets, de toits, le cri des mouettes et le crayon patient dans ma main. Mais l'angoisse était là, les mots autour de moi, et même ceux, peut-être, que j'écrivais, absurdes, se croisant comme dans le ciel des ballons de couleur vive, gais, étincelants, crevant parfois (angoisse) mais irrémédiablement distincts...

Je tournais autour des églises. La plus proche, la

221

plus laide : des pignons faussement gothiques, dont la laideur m'apparaissait — mais en somme, c'était dans le monde, la laideur, et curieux, intéressant peut-être. Des vitraux faits à la machine, des murs noirs, jaunes, dégoulinants de quotidien, les portes d'un bois laid, clair, verni, comme des portes de magasin. La foule qui en sortait, pesante et quotidienne, foule à gants et à chapeaux, espèce bien connue, espèce absurde des grandes personnes — les unes y allant (à l'église), les autres n'y allant pas. Je tournais autour, je m'approchais, c'est tout. Qui sait si cette laideur banale ne recelait pas ce trésor : une clé, une explication. Seule chose évidente : les autres, les grandes personnes, n'étaient pas d'accord. Les unes y allant, les autres non. J'attendais de comprendre. Très patiemment. Cela me rappelait la guerre. Les uns « pour les Allemands », les autres, non. Il y avait eu un moment où tout avait paru clair, les personnes « qui n'étaient pas pour » avaient triomphé. Il y avait eu des « méchants » et des « bons », pendant un certain temps. On était d'accord. Les uns (qui avaient triomphé) avaient mis les autres (une partie) dans les cages à lions du zoo d'Anvers. Cela m'avait paru bizarre.

Mais que de choses bizarres, dans l'enfance ! Que de choses dont il faut attendre l'explication ! Du moins je ne doutais pas qu'elle dût venir un jour. Belle confiance.

Bizarre que la servante Julienne, que j'aimais bien et qui était belle, dût rester confinée dans le sous-sol, où il ne fallait pas aller *trop*. Simplement, il ne fallait pas y aller *trop*. Une nuance. J'attendais de comprendre. Patience, bonne volonté ; je voulais apprendre un langage, connaître les règles d'un jeu. Ne m'y risquer qu'à coup sûr. J'avais peur des autres, un peu (leur absurdité), et de moi-même. Une violence inouïe me dominait par instants : je la ressentais comme une étrangère, une cohabitante de mon corps. Prête à m'en arranger d'ailleurs. Qu'elle aussi se fît connaître, avec son mode d'emploi.

L'église, donc. Un autre monde. Des nuances aussi. « Tu choisiras plus tard », disaient-ils, les parents. Ils avaient choisi ; ils n'y allaient pas. Ou plus. N'étaient-ils pas sûrs d'avoir raison ? Ils ne voulaient pas m'influencer ; je choisirais. C'était gentil. Je le comprenais. Mais comment choisir, quoi ? A partir de quoi ? *Choisissait-on* d'être telle personne (parfois il semblait que oui ; on allait à l'église, ou non ; on était, ou non, « pour les Allemands ») ; mais choisissait-on d'être au sous-sol, ou dans la grande salle à manger lambrissée de chêne, tapissée de cuir de Malines ? J'aimais bien Julienne, et elle était belle. Mais il ne fallait pas *trop* lui parler, pas *trop*. Il y avait aussi des amies de classe à ne pas *trop* fréquenter ; Suzanne dont le père était coiffeur. Nous avions un après-midi vendu nous-mêmes des cosmétiques dans la boutique. Il ne fallait pas. Pourtant, ce n'était pas *mal*, à proprement parler. C'était une de ces choses indéfinissables qui se situaient dans cette région de l'absurde où je m'avançais à petits pas, prudemment, avec un grand souci d'adaptation, un grand désir de comprendre et d'être d'accord. Mais c'était difficile. Je voulais être sûre.

Les messieurs qui se rassemblaient, certains jours, rue du Pélican, rue où il y avait beaucoup de boutiques de changeurs et de diamantaires. Ils avaient souvent de grandes barbes, des manteaux un peu longs, des chapeaux noirs. Des juifs. On ne doit pas persécuter les juifs. C'est *mal*. Les personnes qui étaient « pour les Allemands » persécutaient les juifs. Affreux. Ces messieurs étaient de toute évidence inoffensifs. Un peu curieux, leurs chapeaux. Mais il y avait rue du Pélican de petites boutiques d'alimentation « juives » où ces messieurs, sans doute, achetaient leur nourriture, et c'était bien attrayant, les concombres translucides et le saumon rose, givré, et la pile dorée de pains au cumin. Et il ne fallait pas s'attarder rue du Pélican. Ni converser (mais saluer, si par hasard on l'avait rencontré plusieurs fois, oui) avec l'un de ces messieurs. J'insistais pour qu'on achetât des concombres. Oui, c'était possible, cela pouvait se faire, mais avec une imperceptible hésitation, qui jetait sur ces concombres (ou sur les messieurs, ou sur les chapeaux noirs) comme une ombre imperceptible de suspicion, quelque chose de douteux (mais à peine) et on avait envie de se laver les mains, un peu, et le plaisir de manger ces concombres était subtilement compliqué de cette réticence, de cette ombre d'ombre de réticence. Choisissait-on d'être juif ? Je me disais, en attendant de trancher cette question, que, à leur place, j'aurais évité de porter ce chapeau noir, un peu haut, signe distinctif de leur appartenance. J'appris plus tard que tous ne le portaient pas. Alors ?

Patience. Tout s'éclairait. L'église. J'entrais. Les statues étaient laides aussi, des couleurs fades ; une table à l'entrée où une dame tricotait, l'air grognon ; des prospectus. Cela avait l'air bien ennuyeux ; mais avait un sens, peut-être. Ma grande curiosité patiente. Patiente, mais avide de faire quelque chose qui ait un sens, comprendre, exister ! Merveilleuse enfance ! Merveilleux douze ans pensifs, pour lesquels comprendre, c'est exister. Comme il faut vivre, lire, souffrir et se tromper, avant de retrouver la clairvoyance de ces douze ans ! Une fois que j'aurais compris, croyais-je, tout s'arrangerait. (Et me voilà, des années plus tard, qui ai compris, et rien ne s'arrange. Plus qu'un pas pourtant, un seul pas, et toute l'enfance qui me pousse aux épaules. Mais j'hésite et j'ai peur. Je n'avais jamais peur, enfant.)

Ma grand-mère, petite, mince, courbée, alerte, et le plus gentil visage du monde sous une coiffure en bandeaux qu'on lui avait montrée (ou peut-être s'était-elle appliquée à l'imiter, l'ayant vue dans un magazine, et trouvée à la mode) une fois pour toutes, vers 1901, ou en 1895 peut-être, avait dans son grand sac noir, outre son tricot, un mouchoir immaculé, des pastilles Vichy et un petit flacon d'eau de mélisse, véritable panacée, un étui de fer-blanc contenant un petit saint Antoine, de deux ou trois centimètres, qu'elle invoquait plusieurs fois par jour, à la suite de la perte qu'elle faisait d'un objet. Cette pratique me surprenait. Ma grand-mère était très pieuse. On en parlait gentiment, avec une nuance d'affectueux humour, comme d'une manie propre aux vieilles dames, et qui leur irait bien. Soit. Il y avait beaucoup de vieilles dames à l'église.

La grande croix en néon étincelait sur la triste façade, au moment de Pâques. Il y avait des banderoles, offrant le même aspect, à mes yeux, que les affiches électorales ; « Faites vos Pâques. » Il y avait aussi la cathédrale, qui était elle, un « joyau d'art » et que l'on faisait visiter aux étrangers de passage (aussi, le béguinage de Bruges où était morte de froid, disait maman, une de mes grand-tantes). La Vierge noire, dans la cathédrale. Les cierges, le silence. Les tableaux de Rubens, que le bedeau découvrait, tirant les rideaux de serge verte, avec solennité. Cette curiosité attentive. Les gens qui vont dans les églises sont des catholiques. Je supposais qu'on ne pouvait devenir, par nulle initiation, ni juif ni habitant des sous-sols — ces deux espèces s'étaient pour moi rejointes et je leur vouais de la tendresse, à cause de cette vague injustice qui planait sur eux, sur tous ceux qu'il valait mieux ne pas *trop* fréquenter. Mais on pouvait, je le savais par ma grand-mère, devenir catholique. Et elle disait aussi : « la *vraie* religion ». Fascination de ce mot brûlant : vérité. Une opération magique et l'on possédait la vérité. Autant dire le monde, pensais-je. Merveilleux douze ans !

Il ne tenait qu'à moi. Ce choix, que mes parents remettaient à une époque brumeuse (plus tard, tu choisiras), ce choix était en somme le seul que je pouvais faire immédiatement. Ma seule liberté. Un seul moyen d'échapper au monde imposé de mes parents (que j'aimais — j'entends seulement, imposé parce que je ne l'avais pas choisi, qu'il me paraissait incompréhensible et que je m'y sentais, sans que cela impliquât aucune révolte, étrangère). Le seul moyen d'exercer une action sur le monde, de sortir de cette gratuité vertigineuse qu'on impose aux enfants.

Un prêtre, vieux, voûté, routinier à l'extrême. Un peu intéressé, quand même, par la possibilité d'une conversion secrète. Le soir, après l'école, sous un vain prétexte, je sortais, me jetant dans l'église obscure, le cœur battant un peu. Innocente complice, ma grand-mère égrenait son chapelet comme on écosse des petits pois, au creux de sa robe grise ou noire. « C'est que vos parents ignorent tout, disait le vieux prêtre hochant la tête. Cela peut se faire, mais... On pourrait dire... » J'avais l'impression d'être enfin adulte. Ces conciliabules... Puis : « Un baptême secret, évidemment, si vous êtes sûre de le vouloir... » Cérémonie mystérieuse, magique. J'y pensais. *Et après ?* Que ressentait-on, que devenait-on ? J'essayais de déchiffrer sur le visage des visiteurs quelques traces de cette mystérieuse initiation. Rien. Ma grand-mère elle-même, mises à part ses invocations à saint Antoine, présentait-elle quelque particularité attrayante ? Elle était très bonne. Rien de mystérieux là-dedans. On riait un peu, gentiment, de son bavardage constant, de son affairement continuel : sans cesse occupée à ficeler des colis, à faire cliqueter des aiguilles, à s'inquiéter des horaires de chemin de fer, à ranger des tiroirs, des boîtes dont elle avait des multitudes...

« Si je vous donne le baptême, saurez-vous continuer dans le milieu non pratiquant où vous vivez, à pratiquer des vertus chrétiennes ? » me dit-il en griffonnant quelque chose sur un petit carnet ; il le refermait à l'aide d'un élastique. (Il m'avait appris déjà un peu de terminologie. « Qu'est-ce que la Trinité ? »)

Et je sentais bien ce qu'il fallait répondre à ces questions et aux autres. J'étais dans un autre engrenage, un autre mécanisme, un autre vocabulaire. Mais l'absurde demeurait, et ce sentiment d'être là étrangère, de parler la langue d'un pays dont on ne sent pas d'instinct le rythme... Lâchement, je répondais oui à sa question, et il tripotait son élastique. « Prévenez votre grand-mère et venez le 19 à 20 heures », disait-il, l'air ennuyé. Panique. Je n'étais plus sûre de rien. La vérité-soleil, la vérité-mirage, n'était-elle rien d'autre que *sa* vérité ? Etait-elle vraiment absolue ? J'exigeais l'absolu. Je n'allai pas au rendez-vous. Un soupçon planait. Echanger des mots contre d'autres, trafic absurde. Peut-être tout bonnement ces entretiens m'ennuyaient-ils à la longue. Ma grand-mère soupirait, priait saint Antoine. J'avais toujours douze ans, treize ans, quatorze ans, âges interminables. J'entrepris de tomber amoureuse d'un libraire. Il copiait les lettres de Rilke pour me les envoyer, à peine adaptées. Ainsi je fus amoureuse de Rilke de treize à quatorze ans et demi. On pouvait tomber plus mal. Ce n'était plus la vérité, le mirage éblouissant. Je m'éblouissais moi-même, répétant doucement : « Je vis... je vis. » L'adolescence, brève et fulgurante aussi. L'adolescence qui, tout de même, devait passer par cette

église américaine.

Passage éclair entre l'enfance et l'état d' « adulte » : ça va tellement vite ! Aucun autre lien que ces mots, toujours ces mots sur le papier, et cet effort constant, qui n'est pas encore une fatigue, qui n'est pas encore une migraine, de chercher lesquels choisir. Je n'ai jamais cessé d'écrire, depuis bientôt vingt ans. C'est mon unité de mesure.

Adolescence donc. Ce n'est pas mon propos de m'attarder sur ces années merveilleusement colorées et bruyantes, années foraines en toboggan, effrayantes aussi où les visages soudain deviennent fantastiques comme des masques de carna-

val, inhumains comme des têtes de jeu de massa-
cre, et soi-même, on est au centre de ces couleurs
comme au centre d'un prisme, au centre d'un ma-
nège, au centre du monde, et si tout ce tourbil-
lonnement s'arrête de temps en temps, c'est qu'à
travers tout l'habitude nous reste de nous asseoir
bien régulièrement à une petite table, n'importe
où, et d'aligner coûte que coûte des mots, encore
des mots...

Non, je ne veux pas décrire ces années. Deux
mots seulement, pour encadrer cette église en
pitchpin verni (on m'a dit que ça s'appelait comme
ça), cette église si propre, avec ses néons « dis-
crets ». Deux mots pour y arriver à cette église.
Y arriver en passant par ces livres nus, tous ces
livres, qui ont déjà défilé dans ma tête de quatorze ans. Oui, la tête pleine de papier, pleine de
mots, vraiment. Monde absurde, mais non hostile,
comédie puérile et gentille, me semble-t-il. Les
jours devenant plus rapides ; les réceptions, le
soir, à la maison, qui me paraissaient féeriques.
Ma sœur et moi, pieds nus dans l'escalier, épiant
quelque chose qui n'arrivait jamais. Parfois, au
bas de l'escalier, un couple passe, dansant, disparaît sans nous voir. Absurde, fascinant. Je lis *La
Guerre et la Paix*. J'attends des drames, des enlè-
vements ; mais je sais que le duel n'existe plus :
quel dommage ! Un invité pitoyable, parfois, nous
monte du gâteau, et il semble que depuis que j'ai
quatorze ans, il monte plus volontiers. Nuage. Mais
comme je rêve à ces soirées somptueuses ! Le sont-

elles réellement ? En tout cas, il y a de la musique, des femmes très parfumées, je lis *Autant en emporte le vent*, j'admire éperdument une amie de ma mère, fort décolletée et entourée d'hommages masculins. C'est cela, en somme, qui est souhaitable ? Quinze ans et demi, seize ans, et, fait inouï, je sors ! Griserie d'une bien modeste robe blanche ; des jeunes gens m'invitent à danser, et je trouve, les ayant vus deux fois, qu'ils tardent par trop à tomber à mes pieds. Je viens de publier — on vient de publier pour moi — un recueil de ces poèmes fait des longues années d'attente, d'enfance, mais il y a des mois que je n'ai plus écrit de poèmes, Rilke est oublié, et les poètes ; ce sont les romans qui occupent de longues veilles et des réveils nerveux, je ne pense plus qu'à danser, à danser encore, et enfin (enfin ! Je me sentais déjà presque vieille), un homme séduisant m'embrasse dans un vestiaire. Je l'aime, c'est évident, je l'aime, huit jours, après je suis très fière d'être sa maîtresse, et voilà. Je suis une grande personne, sans avoir quitté l'enfance pour autant. Car lorsque mes parents apprennent tout, s'indignent, cela me paraît d'une injustice *inouïe !* Pourtant, ça aussi, c'est dans les romans. Mais j'avais cru comprendre (le langage des gens, leurs apartés, leurs petits sourires) que ces choses-là étaient de celles dont on plaisante. J'ai dû faire une erreur d'interprétation quelque part. Ou alors les gens manquent de logique, car je ne trouverai personne, je le sens bien, pour me défendre. Et me voilà em-

barquée pour l'Amérique, comme un colis scanda-
leux et gênant. Je pleure, c'est ma logique à moi,
je pleure, puisque j'aime, et appliquant toujours
une logique mathématique, je décide de me marier
le plus vite possible, pour me « libérer ». Comment l'on se prend à son propre piège, comment
l'on se détrompe, comment on se retrouve à Paris,
à dix-huit ans tout juste, enceinte de l'un, amoureuse de l'autre, mariée, divorcée, et ébahie devant un gentil bébé tout neuf qu'on ne sait comment manipuler, et comment après tout, et bien
qu'on ait reçu quelques coups dans la bagarre, on
en prend son parti assez gaiement, car c'est ça la
vie, sans doute, et pourquoi se creuser la tête,
voilà qui est une autre histoire.

Les églises américaines sont aussi laides que
nos laides églises. C'est là que je voulais en venir.

Mais quels beaux curés américains ! Celui-là est
athlétique et blond, vraiment fait pour le cinéma.
Il a un sourire publicitaire, il embaume le men-
thol et la brillantine. « Voyons, il ne faut pas
avoir peur de moi ! » dit-il si cordialement. Quartier pauvre de New York, petites maisons bala-
frées d'escaliers à incendie. Depuis ma première
expérience, j'évite les églises. Je sais qu'il y a,
dedans, des personnes aux idées arrêtées, qui juge-
raient ma conduite. Je ne leur donne pas raison.
Mais avec une superstition canaque, je fais un
détour pour les éviter, pour éviter même le lieu où
ces personnes se rassemblent. Prudence. On ne
peut pas savoir. Il suffit de si peu pour que des

personnes (par exemple des parents) se métamorphosent en juges. J'en rêve la nuit, parfois, de ces métamorphoses. L'angoisse. Toujours l'angoisse du vocabulaire. Qu'est-ce qui, dans le langage de mes parents, de leurs amis, pouvait donner à penser qu'ils éprouveraient une indignation sincère devant mon « inconduite » ? Rien. Rien. Qu'est-ce qui, dans les livres, laissait prévoir une telle conjuration ? Rien. Alors ? Mais ce n'est plus une logique que je cherche. La logique, c'est dépassé, ou c'est pour plus tard, peu importe. Brusquement, ce qui m'attire, ce sont ces têtes penchées ensemble, ces voix unies, ces visages. J'aime les gens, j'aime le monde, j'aime tout, ce soir, sur la Quatrième Avenue, tout au bout, là où il y a de laides maisons de banlieue zébrées d'escaliers d'incendie, et ma petite chambre non loin du métro aérien qui vibre ; et le drugstore, et le restaurant douteux (il y en a, même en Amérique, et celui-là, qui se prétend français, a l'idée lumineuse de s'intituler *Le Petit Coin*), et les odeurs, friture et pharmacie (un laboratoire non loin), tout cela, je l'aime, ce soir d'été un peu vide (encore clair, ciel rose, mais, un à un, déjà le crépitement des néons qui s'allument), et j'aime me sentir moi-même, libre de tout, de rien, d'aller trouver, par exemple, ce curé américain si gentil, qui insiste pour que je l'appelle Fred.

« Qu'est-ce que c'est qu'un petit péché ? me dit Fred. C'est une tache sur un vêtement. On le lave et puis voilà. Entrez dans l'église ! »

C'est une façon de voir. Une façon de parler. Mais comment décider si telle chose est une tache ou non ? « Mais, c'est écrit ! dit-il avec indignation. C'est là-dedans ! » Il tapote un livre relié en plastique beige. Evidemment, si c'est écrit, c'est bien commode. L'idée ne me déplaît pas, mais au point de vue pratique... Et puis, il doit y avoir d'autres livres.

Je l'ai dit, je n'en suis plus à la logique.

— Et, qu'est-ce qu'il faut faire, une fois qu'on est dans l'église ?

— Mais... se marier, avoir des enfants, travailler, s'améliorer...

— C'est tout ?

— Etre un bon citoyen, dit Fred.

Son odeur de brillantine ! Son sourire éclatant ! Sa tranquillité bien nourrie !

L'église était de style néo-gothique, avec une chaire « Renaissance » en sapin. Je n'y suis jamais retournée.

Logique ou enthousiasme, ce n'est pas pour cette fois. Pas pour cette fois, les mots qui signifient, pas pour cette fois, l'élan impétueux, la joie de vivre employée et canalisée. Pas pour cette fois. Profits et pertes. Pensons à autre chose. Par exemple à cette préoccupation qui commence à devenir angoissante depuis quinze jours... Non, il n'est pas possible que *moi*, si proche encore de l'enfance, à mon tour j'attende un enfant ? Ça non plus, ce n'est pas logique. Mais la nausée n'obéit pas aux impératifs de l'esprit et m'oblige à déplacer le champ de mes réflexions. Heureusement, j'ai toujours aimé les bébés.

Cette fois, c'est adieu pour longtemps. Adieu la recherche et la réflexion, adieu le nom même de l'angoisse (elle est toujours là, mais elle se donne maintenant des prétextes, des noms de grande personne), adieu la patience et l'impatience, et la révolte et la détresse sans cause, et la ruse innocente qui traque les mots de tous les jours. Oui, adieu la recherche : c'est peut-être ça, la fin de l'enfance ? Reste la belle violence pure qui a sa logique à elle. Reste toujours et toujours l'habitude, déjà si ancienne qu'on n'en sait même plus l'origine, d'écrire. Cette habitude qui, de matinée en matinée, devait me mener à l'instant de tracer ces mots : « Je t'appellerai Dieu désormais. »

Et alors, quel triomphe ! Quelles trompettes, quels buccins ! Noël, Noël ! et les cloches carillonnantes, et le solennel ralentissement de la plume sur le papier devenu vélin, et l'or et l'azur de ce livre (et le bec cloué à tous les K. de la terre car le nom de Dieu est sans réplique, le grand romancier catholique le sait bien, qui le met à toutes les sauces, même électorale !) et lentement feuilletées, les belles images qui livrent leur secret... Que je voudrais écrire ce livre où tout s'éclaire, ce livre où tout est expliqué, ce livre que j'aurais voulu lire, enfant. Où, sous chaque image, s'inscrivait sa légende : *Voici ce que cela veut dire*. Et ce livre, j'ai cru que je pourrais l'écrire. J'avais même choisi son titre, moi qui ai toujours tant de mal à en trouver. Je l'aurais appelé

Moralités acrobatiques.

Pourquoi ? J'assistais un jour à la fête du Carnaval dans un petit village des Flandres. Il devait y avoir une retraite aux flambeaux, un bal de masques sur le pavé inégal de la petite place. J'étais arrivée en avance, un peu avant la tombée du jour. Des gens se hâtaient dans les rues, la place était déserte, de temps à autre un masque passait, furtif, comme honteux encore, et disparaissait au coin d'une ruelle, bizarre, avec son énorme tête de carton et son costume étriqué, comme étaient étranges les maisons médiévales sous le fard violent du néon. On attendait l'heure de sortir, tous à la fois, des maisons, pour se précipiter sur la place, en cohue brutale et bariolée. Il y avait l'attente qui précède les fêtes, dans l'air l'odeur des fritures hâtives, dans les cafés la fumée épaisse des pipes et le bruit des verres, des soucoupes heurtées, avec une très légère angoisse qui flottait. J'étais assise dans cette fumée, avec un peu le sentiment d'être dans une gare. Le café était petit, bas de plafond ; les poutres épaisses où pendaient des réclames de Coca-Cola, les petits carreaux verts des fenêtres, les banquettes défoncées de moleskine, les hommes debout devant le comptoir en bois (je remarquai qu'il n'était pas nickelé) se tapant sur l'épaule, s'esclaffant, avec une cordialité peut-être un peu marquée. Il y avait des masques en carton dans un coin, posés par terre en tas, encore inoffensifs. Il y avait sur des étagères, au-dessus du bar, des bouquets de fleurs en papier, sous globe, d'aspect naïf et désuet, dont je savais, pour en avoir vu de semblables chez mon grand-père, qu'il s'agissait de trophées de tir à l'arc. Le rouge fané, le bleu naïf des fleurs rudimentaires évoquaient Epinal et ses soldats de plomb, amants aux joues rouges dont on rêve à douze ans. Je pensais « Epinal », et un petit homme gris entra, portant un cercle de fer et quêtant dans un cendrier Martini.

C'était un saltimbanque de passage, un contorsionniste, pour être plus précis. Il n'avait ni chien ni chèvre, et son aspect las et sans verve ne laissait pas bien augurer de l'attraction promise. Parce qu'on attendait, pourtant, on fit un cercle, on recula quelques chaises, une table. Nous étions tout près de lui.

Il se mit sur les mains, sans dextérité particulière. Il replia ses jambes en arrière. Il leva un bras et passa ses jambes dans le petit cercle de fer. Il reposa sa main sur le sol, replia davantage les jambes qui vinrent cacher son visage. Puis le visage reparut un peu plus haut, entre les mollets, gris, dépourvu d'expression. Cette contorsion n'avait rien d'extraordinaire, sinon la lenteur et l'espèce de solennité avec laquelle elle s'était effectuée. Cependant les hommes debout (déjà légèrement pris de vin ou de bière) s'apprêtaient à applaudir de bon cœur, quand cette tête grise, ronde, plate, encadrée de deux jambes, et que nous voyions à l'envers, ouvrit la bouche et, dans un flamand rocailleux, qui me sembla archaïque mais n'était peut-être qu'un patois d'une autre région, débita d'une voix sourde un petit quatrain que je puis traduire ainsi :

> *La posture que j'adopte*
> *Pourquoi vous semble-t-elle étrange ?*
> *Ainsi vivent la plupart des hommes*
> *La tête à la place du derrière.*

A cause du mot cru, on rit sans trop comprendre. Le petit homme ne réagit pas du tout à ce succès. Avec la même lenteur, sa tête s'enfonça entre ses jambes, ses bras tendus suivirent à travers le cercle de fer, et il apparut tout à coup comme une sorte de petit paquet ceinturé par ce lien incroyablement étroit, tête, bras et jambes émergeant de l'étroite ouverture, cependant que, malgré son équilibre instable, le contorsionniste énonçait ces vers de mirliton avec la même gravité :

> *Je ne puis bouger bras ni jambe*
> *Vous me trouvez bien à plaindre.*
> *La vue d'une femme ou d'un sac d'argent*
> *Vous met pourtant en même état.*

L'acrobatie fut jugée généralement supérieure à la première. Les vers surprirent, mais pourquoi pas ? Je ne me souviens pas de ce qu'il fit ensuite. Les quatrains contenaient pas mal de grossièretés, voire d'obscénités, qui allaient croissant et firent leur succès. Je donnai à la quête, comme tout le monde. Le petit homme salua, et s'en fut lentement, l'air morose et fatigué. On lui offrit un genièvre. Il refusa de sa voix sourde, car, nous dit-il (c'était bien un patois qu'il parlait), la boisson lui donnait des crampes d'estomac et l'empêchait de faire son numéro. Par la fenêtre, je le vis entrer dans un autre café de la place, son petit cercle de fer à la main. Je me demandai qui lui avait donné l'idée de cet étrange numéro, qui lui avait appris ou inspiré ces quatrains. Sans doute y avait-il ajouté pas mal de facéties de son cru, mais il n'avait pu imaginer entièrement, me semblait-il, cette illustration de ses contorsions. Une association d'idées avec Epinal (due aux bouquets fanés du café) devait m'amener à évoquer les « proverbes » de Breughel. Une vieille tradition flamande, qui m'était chère, se retrouvait là, peut-être par hasard, et cette idée si simple qui me préoccupait de l'image et de sa légende, du rapport clair en apparence et en fait complexe entre les deux, se trouvait là tout à coup illustrée. Et quel joli titre : Moralités acrobatiques ! Par une sorte de coup du sort (mais pas une révélation : ou alors, une révélation inexplicable, mystérieuse, et un peu trop surréaliste pour me plaire, bien que j'en rende compte loyalement), un dimanche d'oisiveté, de *vacance* au vrai sens du mot, promenant un des enfants au musée des Arts et Traditions populaires, je devais retrouver au mur une gravure qui me fascina. C'était, sur un papier jauni, divisé en petits carrés de huit centimètres de côté environ, les poses d'un équilibriste qui s'aidait d'un cerceau pour se contorsionner. Et sous ces images apparemment banales, des quatrains en vieux flamand, dont beaucoup me restèrent lettre morte, mais dont le peu que je compris suffisait à démontrer une intention, édifiante ou comique, l'intention d'établir entre ces poses et ces idées un rapport. Quel signe plus clair ? Il fallait écrire ce livre, peindre minutieusement ces enluminures, celles-là ou d'autres, et écrire en dessous, avec cette confiance naïve des miniaturistes d'autrefois ou des écrivains soviétiques d'aujourd'hui : Voilà ce que cela veut dire.

Moralités acrobatiques... Pêle-mêle, les images qui m'entourent, ce bric-à-brac poussiéreux qu'on possède déjà à trente ans, les ressortir ; avec un coup de chiffon rapide, les étaler devant soi comme un jeu de cartes. Leur donner l'attrait mystérieux des tarots, leur poésie ambiguë : la *Roue de fortune*, le *Puits*, la *Chaîne de bobinage*, le *Palais du facteur*, le *Combat de femmes*... Voilà donc mes cartes. Chaque image ayant une signification très simple, très claire.

Et le rapport de ces images et de ces légendes, « je l'appellerais Dieu désormais ». Quel program-

240

me ! Et quel livre séduisant à faire ! Toutes ces petites révélations s'accumulant, et menant à la grande révélation : Dieu. Belles images, pleines de suc, plus belles d'avoir un sens !

La *Tunisie*, par exemple : paysages, personnages pittoresques, Luc, le combat goyesque des femmes, et ce premier axiome : *réfléchir, c'est déjà prendre parti*. Ou la *Chaîne de bobinage*, décor moderne par excellence, et les belles machines que j'aimerais décrire, leur poids d'acier et le poids des gestes aussi, ces triangles, ces hexagones légers que dessine dans l'air la peine des travailleuses : *le mérite est une proportion*.

Ou, plus simplement, le moment où, chez Renée, nous nous étions tous extasiés sur les beaux verres des Charentes. Mes réflexions sur cette soirée auraient précédé ; je me serais demandé, dans un grand mouvement lyrique : « Mais où sont allés la vraie Renée, la vraie Clo, Etienne, Jean... » J'aurais eu un doute, peut-être (très bon, le doute, pour le suspense) ; cette vérité, objet de mes recherches, de mes désirs, existait-elle vraiment ? Pouvait-elle se communiquer ? Ma recherche, mon travail avaient-ils un sens ? J'aurais observé, un peu mélancoliquement, le langage faux et convenu qu'ils parlaient tous, où rien ne correspondait à rien, et tout à coup, miracle, miracle mathématique à ma mesure, la vérité aurait fait irruption, sous forme de l'heureuse proportion de ces verres des Charentes, lien unique et fragile entre tous ces personnages si soigneusement cloisonnés, fortifiés en eux-mêmes, reconnaissance commune d'une vérité, d'une évidence communicable à tous, la simple et presque banale beauté de ces verres paysans : véritable *Communion des saints*.

Joie, joie, pleurs de joie. L'instant aussi où Renée me montre le vase blanc, posé devant le mur ocre, à *sa* place, évidente et unique. Ce jour-là, je me dis que ce doit être cela, la grâce, ce pouvoir et cette volonté de distinguer sa propre place dans cette vie incolore, cette place si humble qu'elle soit (mais pourquoi serait-elle humble ? Un peu plus haut, un peu plus bas, à gauche ou à droite, qu'est-ce que la notion d'humilité vient faire là-dedans ?) et de s'efforcer d'y atteindre.

Je puis aller même jusqu'à me dire qu'il n'est pas indispensable de distinguer cette place. L'effort déjà suffit, puisqu'il en reconnaît l'existence, qu'il admet l'architecture du monde.

Tout se recoupe avec allégresse, dans un Triomphe de la Vérité construit comme un plafond peint, et pour y placer un élément d'élégance, je retourne au *Grillon*, j'y convoque Marcel N... et j'explique : ce qui me gêne chez Marcel quand il me parle de moi, ce n'est pas qu'il se trompe, c'est qu'il lui est indifférent de se tromper ou non. Il ne cherche qu'à revêtir le monde et moi-même d'un vêtement seyant, il ne cherche qu'à créer une belle image, sans qu'elle signifie rien.

Nous ne sommes pas de ceux-là, nous autres. Rien dans les mains, rien dans les poches. Nous expliquerons tout, nous justifierons tout, et notre livre, *Moralités acrobatiques* aura l'éblouissante architecture d'une cathédrale. Il ne nous manque plus que le faîte, le couronnement de l'édifice, ce qu'on appelle la *conclusion*. Mais attention : il ne faudrait pas tout gâcher. C'est que, à notre vie aussi, au point de notre vie où nous nous sommes écriés : « Dieu est l'assassin », manque une conclusion, un sceau, une estampille. Nous ne sommes encore, il faut bien le dire, qu'un sympathisant. Nous ne sommes pas encore inscrits, nous n'avons pas la carte du Parti, disons le mot, nous ne sommes pas baptisés. « Entrez dans l'église », disait Fred, du haut de son nuage de gomina. Nous n'y étions pas entrés. Sur le seuil, oui, et le plus près possible. Mais ce pas, ce seul pas qui restait à faire (ce pas qui serait le Couronnement de l'édifice et la *conclusion* de notre livre) nous ne le faisions pas, pourtant.

Il faut tout dire : dans le jeu de tarots aux couleurs éclatantes, quelques cartes s'étaient glissées qui empêchaient la *réussite* d'aboutir. Cartes sournoises, images équivoques, présages d'angoisses qu'il fallait conjurer avant de *boucler la boucle*, si j'y arrivais. Images aux beaux noms, pourtant, comme celle que je nomme

le *Mystère de l'Emeraude*.

A l'époque où je lisais cette histoire (dans un vieux volume de *La Semaine de Suzette*, je crois :

je ne sais plus, bien que je sente encore l'odeur rancie du papier), je me plaisais à mentir sans rime ni raison. Plaisir ambigu d'être crue. Sinon, obscur sentiment qu'à force de me gronder pour avoir menti, on se mettrait à m'apprendre la « vérité », qui était pour moi comme une personne, présente mais cachée.

Tout s'aggravait de l'extrême gentillesse de mes parents. Si j'avais senti chez eux une hostilité, je me serais révoltée, tout aurait été simple. Mais non. L'angoisse me faisait rire, dire des folies. Je m'inventais un petit frère en Suisse, à cinq ou six ans.

Puis vint un jour. Je souffrais de « névralgies intercostales ». Je souffrais réellement. Je n'en profitais pas moins pour échapper, grâce à ces douleurs, aux cours qui m'ennuyaient, la gymnastique, le dessin, la grammaire. Je me plaignais, l'on m'autorisait à descendre dans le sous-sol, où une chaise longue attendait les malades éventuels. C'était un large couloir, sombre, silencieux ; les bruits y parvenaient assourdis, lointains ; il y faisait chaud, à cause de la chaudière du collège, dans une cave proche, dont je percevais le grondement paisible. Un professeur, pris de méfiance pour ce lieu sombre et solitaire où je rêvassais, vint ce jour-là m'interroger. « Alors, vous êtes malade ? » Elle doutait. Cependant je sentais bien qu'elle n'était pas sûre d'elle-même ; et j'étais forte du fait que je souffrais réellement.

— Oh ! Ça va passer, dis-je.

— Vous avez souvent mal ainsi ?

— Oui, souvent.

Je la voyais, perplexe, penchée au-dessus de ma chaise longue, me scrutant. C'était une femme très grande, aux traits rudes, mais pleins de bonté, aux cheveux gris, au chignon sévère. Je l'aimais bien. Cela m'amusait sans méchanceté de voir une grande personne en proie au doute absurde qui ne me quittait pas, moi. Il n'y avait pas d'hostilité dans mon comportement.

— Vous n'aimez pas la grammaire, demanda-t-elle.

— Ça peut aller, dis-je avec modération.

Une protestation plus vive eût été suspecte.

Comme il était évident qu'elle ne savait que croire ! Cette grande personne, si versée dans les infinitifs, les participes, les qualificatifs déterminatifs, était là, penchée, incertaine, et ne possédant aucun pouvoir sur moi qui lui permît de savoir la vérité. Jamais, me disais-je avec une sorte d'émerveillement, elle ne saurait si j'étais vraiment souffrante. Elle aurait beau faire, j'étais retranchée en moi-même, parfaitement à l'abri, elle n'avait *aucun moyen* de parvenir à la vérité. La paix que je ressentais à cette idée se joignait à la paix de ce couloir, je me sentais parfaitement à l'abri, sans aucune gêne, pendant que, debout, elle me considérait maintenant de toute sa hauteur, longuement, sévèrement. Alors je pensai à l'histoire lue dans *La Semaine de Suzette*, à ce *Mystère de l'Emeraude*, où des Anglais aux visages

245

stupidement gentils, secouaient un guide hindou, pour lui faire avouer la cachette de l'Emeraude qu'il avait dérobée. Ce guide, Lakdar Mokri, pour lequel je nourrissais les plus tendres sentiments (le roi Louis XI devait lui succéder peu après dans mon cœur tendre aux disgraciés), déclarait avec un horrible rictus (mais dans mon esprit, rectifiant ses traits à mon sens déformés par un dessinateur de parti pris, je lui prêtais une grande noblesse) : « Vous aurez ma vie, mais vous n'aurez pas mon secret. » Cet épisode du roman m'avait plu, davantage que la fin où les « bons » Anglais (pourquoi bons ? puisqu'ils avaient, ces archéologues, dérobé l'Emeraude au front d'un Bouddha composite) récupéraient leur Emeraude et en faisaient don au British Museum, cependant que le malheureux Lakdar était dévoré par un crocodile sacré.

« Vous aurez ma vie, mais vous n'aurez pas mon secret », me disais-je avec malice, pendant qu'elle me dominait de sa taille, de son regard, de son pouvoir souverain d'institutrice. Je n'éprouvais pas cependant à son égard les sentiments haineux de Lakdar Mokri vis-à-vis des Anglais poupins — mais bien plutôt de l'affection. C'était l'école que je n'aimais pas, et que je trouvais absurde et ennuyeuse. Je lui rendais absurdité pour absurdité, voilà tout. Et la douleur qui me serrait les côtes m'était presque agréable parce que je me disais que, même si elle concluait de son examen que je feignais ce malaise, elle se tromperait. L'ambiguité de la vérité m'amusait. *J'avais* mal, *mais* la grammaire m'ennuyait. Il lui serait impossible de conclure. Elle pouvait bien rester là toute la matinée, elle n'aurait pas « mon secret ». Elle resta là, en effet, en silence, encore un bon moment. Et moi, hermétiquement close, imprenable, inexpugnable, sommeillant presque dans ma tranquillité, je ne ressentais toujours aucune tension. Et tout à coup, elle renonça, il me sembla qu'elle poussait un soupir, et elle s'en alla.

J'avais presque envie de la rappeler ; je l'aimais bien, c'est vrai, et j'avais mis de la malice, mais nulle hostilité, nul mépris, dans mon refus de lui parler. J'avais renversé les situations, voilà tout, d'enfant entourée d'absurdités, de mots, de corps impénétrables, je m'étais faite adulte, maître des mots, des significations, démiurge capricieux, statue ironique et mystérieuse. C'était un jeu. Mais elle avait soupiré. J'aurais voulu la rappeler, lui expliquer, je lui expliquerais un jour, ce soir.

L'idée me vint alors qu'elle pourrait ne pas me croire. La paix tiède et somnolente dans laquelle je baignais me quitta. Je m'assis sur le bord du transatlantique. Le silence et la pénombre, le bruit lointain des voitures, le ronflement de la chaudière, des voix d'enfants ânonnant quelque chose, tout était identique. Mais la sécurité m'avait quittée. Je songeai à nouveau à la phrase du guide qui me plaisait tant : « ... mais vous n'aurez pas mon secret. » S'il avait révélé son secret, les Anglais ne l'auraient peut-être pas cru ? Si je parlais à Mlle M..., elle croirait peut-être que je n'éprouvais aucun malaise ? Ou encore elle douterait toujours ? Et de toute façon, comme elle venait de se trouver dans l'impossibilité de savoir ce que je pensais et ressentais réellement, je serais moi-même incapable de savoir ce qu'elle penserait réellement de ma démarche ? Cette pensée si simple m'accabla littéralement. Le délicieux sentiment de tranquillité que j'avais éprouvé dans ce couloir, dans ce fauteuil, dans cette pénombre tiède, s'était soudain mué en un angoissant sentiment de solitude, non plus choisie, mais subie. Tout était changé. Je n'allai pas trouver Mlle M... D'ailleurs, j'oubliai tout ceci pendant des années ; seule l'angoisse resta, vague, planant sur des choses obscures et mal définies. Je déchirai les numéros de *La Semaine de Suzette* où se trouvait l'histoire de l'Emeraude. C'est tout.

Brusque mutation de ma solitude voulue : de refuge devenue prison. Brusque mutation des mots : leur liberté devenue esclavage. Charme de l'absurde devenu angoisse de l'absurde. Mutation ambiguë, déconcertante métamorphose : l'Emeraude était une image troublante ; elle m'évoquait ces contes où, par le maléfice d'une fée, les mots sortis de la bouche de la sœur pleine de bonté se transforment en roses, et ceux qu'articule l'inévitable mauvaise sœur, en serpents. Qu'allaient devenir les mots auxquels j'allais *donner* vie ? Refuge, ou prison ? Roses, ou serpents ? Un pas, un seul, et les mots ne se contenteraient plus d'être mots : il leur faudrait s'incarner. Je n'en serais plus maîtresse, je ne les choisirais plus : c'était eux qui me choisiraient. Je ne nommerais plus Dieu, mais Dieu me nommerait — qui sait ce qui adviendrait alors de moi ?

Ce pouvoir des mots, une fois prononcés, je le connaissais depuis longtemps. Je le révérais, je le redoutais — et j'essayais, parfois, d'en rire, comme on fait quand on a trop peur. A cette époque, bien, bien avant le jour où Dieu s'était fait prendre en flagrant délit d'omniprésence, j'avais tenté une historiette, une sorte de fable — déjà — où les mots, ces petits dieux lares, jouaient un rôle malicieux. Cette fable, je l'appelais

l'Agenda.

Disons : une femme. Disons : de trente-cinq ans. Date de naissance dans son passeport, qu'une élégante gaine de cuir camoufle... Disons : 7 heures du matin, sur la pendulette « de voyage » qu'une élégante gaine de cuir... Disons : une automobile, un appartement, un métier, un agenda qu'une élégante... Disons, trop de cuir, de pendulettes et d'agendas. Cette femme se réveille.

Est-ce qu'une femme comme Lise, quand elle se réveille, pense à son amant, à son bureau, à son coiffeur ? Réveil agréable, angoissé, lent ou rapide ? Calme sans doute. Tout est prêt depuis la veille, la bouilloire sur le gaz, la théière et le sucrier sur le plateau, un verre de jus d'orange dans le réfrigérateur. Et sur la table de chevet, camouflé par une élégante gaine de cuir, son agenda. Il est évident que Lise, se réveillant, pense à son agenda. Or, elle l'a perdu, hier soir entre 8 et 9 heures, place des Ternes, en prenant congé d'une amie, et en cherchant ses clés de voiture, l'agenda où elle venait de noter un rendez-vous a dû glisser... Elle s'en souvient maintenant, avec déplaisir, à 7 heures et... Regard sur la pendulette : arrêtée. Oublié de la remonter hier au soir, alors que jamais ! Moi si précise... J'avais déjà le sentiment que quelque chose me manquait, je croyais que cette dispute avec Jean... Ridicule : c'était l'agenda. Dieu sait quelle heure il peut être ! Regard vers la fenêtre : rayon de soleil, pâle sans doute, mais rayon. Dieu sait quelle heure... et puisque la journée est perdue, une promenade au bois, peut-être... Non. Mes rendez-vous. Et pas le temps (peut-être) de faire ma gymnastique ! Nerveuse, elle rejette les couvertures, un objet tombe sec : oh ! mes lunettes ! C'est trop fort !

Désemparée. L'heure et le lieu des rendez-vous fuient devant ses beaux yeux myopes. Et comment s'habiller, quand on ne sait qui on va voir ? Femme d'affaires, femme élégante, sportive et simple, femme, jeune fille presque, un mouchoir à carreaux faussement paysan sur la tête ? Que choisir d'être, sans agenda ? Valse-hésitation devant la penderie. Qu'est-ce qu'elle possède, Lise, trente-cinq ans, brune, elle voulait faire du théâtre, puis non, étalagiste, maquettiste, enfin de la publicité, elle a trouvé sa voie, et un studio rue des Arts-et-Métiers, aménagé avec goût ; elle y reçoit le vendredi, le dimanche, et sa mère une fois par an dans la petite pièce adjacente, ancienne chambre de bonne mais on a fait mettre l'eau. Pour sa mère, elle s'habille avec extravagance, ce grand chapeau drapé de tulle, ce pantalon de satin rose, tout ce qu'on achète dans un moment d'emballement et qu'on n'ose plus porter après. Elle est Lise X, elle arrive à son bureau à l'heure qu'elle veut, elle rentre quand ça lui chante, mange n'importe quoi, des pamplemousses surtout, et Jean se voit téléphoner dix fois par jour avec accent anglais (c'est bien banal, mais suffit à persuader Mme X).

Mais Mme X va-t-elle arriver ? Elle a, Lise, des blue-jeans avec un jeu de chemises à carreaux (très amusants comme on dit dans les boutiques) pour repeindre une pièce dans l'appartement, ou bricoler un peu, laver la vaisselle d'un petit dîner jeune avec certains amis ; elle a des tailleurs pied-de-poule et flanelle marine pour aller au bureau (avec des « astuces » pour « éclairer » et « rajeunir », astuces que je ne saurais énumérer et qui vont du revers de cuir amovible au jabot en organza qui, emporté dans un papier cristal, s'ajoutera à l'ensemble et fera « petit soir ») ; Lise en jupe de flanelle, en twin-set de cachemire et rouge à lèvres « invisible », une gourmette d'or au poignet, arbore un air de jeune officier sévère, à peine inverti, qui lui va mieux que la moue enfantine, lèvre supérieure relevée, qui accompagne les chemises à carreaux. Et la robe « petit dîner », en velours vert bouteille, fait de Lise une jeune femme romantique à poitrine ronde, à chignon postiche, douce infiniment, attentive à l'homme âgé (Pierre) qui l'épousera un jour, mais l'œil noir et victorien relevé d'une pointe de perversité (crayon Arden à 9,00 francs) si Jean est du dîner et alors, le corsage vert bouteille se garnit d'une fausse lingerie blanche qu'un faux bouton laisse échapper en un bouillonnement, bien sûr, faussement ingénu, qui prépare la chemise de nuit « pensionnaire » que portera Lise au cours de la « nuit avec Jean ». Seule, elle porte un pyjama très « gauloise bleue au réveil ». Mais elle n'a pas fumé de gauloise parce qu'elle a perdu son agenda.

Incapable de choisir un vêtement, un maquillage ; et ne pas savoir l'heure ! Une solution, pour se reprendre : ne rien faire, se dire grippée. Va pour le travail. Mais les autres rendez-vous ? Jean, à 10 heures à la Rotonde ? J'irai à pied. Et puisque pas de travail, robe printanière à jupon, grand sac fourre-tout en osier (peut-être la piscine), maquillage rose et bleu, eau de toilette préférée de Jean, un peu sucrée, mais...

La voilà partie. Catastrophe à la terrasse ! Marc ! Le rendez-vous était avec Marc ! Marc-ami-d'enfance, Marc-à-col–roulé, Marc-gauloise-bleue, colleur-d'affiches, Marc-copain, Marc-dernier-Sartre-et-

Lévis-Strauss-au-poil (aujourd'hui, Marc-Marien-bad), ô Seigneur, de toutes les gaffes, Marc !

— *C'est pour moi que tu t'es faite si belle ?*

Ses grosses lunettes (et pourquoi pas ?), conversation mal partie, de Gaulle, « les Temps Modernes », ridicule avec cet imprimé fleuri. Et ce parfum ! Elle tente « les peuples sous-développés », mais non, le soleil, ce panier...

— *Qu'est-ce que c'est, ces fleurs sur ta robe ?*

Yeux éblouis, souvenirs d'enfance ; ils iront à la piscine. Au fond, il plonge mieux que Jean, et sans ses lunettes... Baiser.

— Demain, 5 heures.

— J'ai perdu mon agenda...

Il lui fait cadeau du sien, l'agenda des *Lettres Françaises*.

— *Chérie !*

Retour au deux-pièces. Epouvantée : vite un twin-set en cachemire — vert ? Non, gris, austère, austère, la gourmette, cheveux lissés, le parfum parti à la piscine, Dieu merci. Et déjeuner en hâte au snack, j'irai voir au bureau après si peut-être je n'ai pas noté quelque part...

Le snack, Jean.

— *Eh bien, tu n'es pas en avance, et quel air austère !*

— Jean tu m'agaces et où sont ces œufs au plat ? J'ai l'air que je veux et...

— Dis tout de suite que...

— Eh bien oui. Lasse de vivre cette vie. A mon âge, une femme a besoin d'autre chose que de...

— C'est pour me dire ça que tu t'es habillée comme une nonne ?

— Si tu veux le croire...

— En somme congédié proprement, c'est ça ? Pourquoi non ? Tu n'as guère d'usage, pour une rupture on arrive à l'heure, d'habitude.

— J'avais oublié que... Mon agenda...

— Le comble.

Parti. Elle allume une gauloise bleue, geste résolu et viril.

Pas de doute, c'est la rupture. Et pourquoi non ? A quoi tiennent les choses ? Si j'avais mis le twin-set vert, peut-être... Tant pis.

Au bureau, foule, cocktail en l'honneur de, bien sûr. C'est elle-même qui l'a suggéré, donner un prétexte littéraire ou artistique à ces soirées qui... Pierre Melchior ; non ce n'est pas un patron, mais un ami qui...

— *Je ne voudrais pas vous parler chiffons*, ma bonne amie, mais sincèrement, ce vêtement de boy-scout, dans un cocktail...

Tout le monde est parti, les bouts de cigarette sur la moquette l'ont agacé, il regrette l'éclat lumineux des jeunes seins dans la robe en velours vert, les bandeaux noirs, le chignon postiche, la douceur soumise de l'œil Arden... Même pas maquillée !

— ... Je m'habille comme je veux... Ce ton !

— Mais au fait... Vos fréquentations pour la maison, Marc Lauriol ?

— Hé oui, il m'arrive d'aller à la piscine... Femme libre...

— Bien permis de faire une observation...

— A tendances politiques !...

— Pourquoi pas ?

— La guerre d'Algérie...

— *Trois mois de préavis pour les cadres...*

Furieuse, elle rentre en métro. Foule, odeurs, poussière. Epuisée. Dans le hall un manteau de tweed marron, qualité et laideur. Maman ! « Je suis là, ma petite fille. Quelle mine, mon Dieu ! » L'imper, le twin-set fripé, visage décoloré de fatigue, yeux fiévreux de colère, Lise est une sténodactylo de trente-cinq ans, ou l'enfant sous-alimentée qui avait « tous les prix ».

— La grippe, sûrement la grippe...

— Chérie, couche-toi, je m'occupe de tout.

Lit, pyjama. Lise grelotte. Vieille robe de chambre en molleton par miracle retrouvée. Oh ! oui, de la tisane. L'odeur d'une compote de pommes emplit l'appartement. Cet agenda ! Demain, ceinturée d'organza, rompra-t-elle avec Marc ? Elle respire doucement la couverture portée à son visage, habitude d'enfance. « Je retrouve ma Lisette... » Oh ! ! ! Envoyer Maman rue des Morillons, demain à la première heure.

Je n'ai jamais pu écrire cette Fable. Je la reprenais de temps en temps, je rajeunissais certains détails, les nouveaux francs remplaçaient les anciens, la guerre d'Algérie prenait la place de l'Indochine... Rien à faire. J'aimais pourtant ce cliquètement, ce tintinnabulement, cet absurde désordre, ce déracinement de chaque instant et de chaque pensée à Paris, où le seul lien qui retienne l'esprit sans cesse heurté, heurtant, résonnant, courant comme la bille sur l'énorme billard mécanique, est l'agenda, la montre, l'étiquette hâtivement collée sur chaque visage et chaque sentiment. Mais Lise, non, ça n'allait pas. Ces whiskies, ces piscines, ces bureaux où l'on va à l'heure où on veut... Elle m'embêtait, cette fille. Non parce qu'elle n'existait pas : au contraire. Parce qu'elle existait trop, ou à trop d'exemplaires, comme la robe dont on cesse d'avoir envie parce qu'on la rencontre à chaque coin de rue. La creuser, l'analyser, bien sûr. Mais dans le ventre de ces poupées à permanente souple, c'est toujours la même découverte attendrissante : le calendrier menstruel voisinant avec l'ours en peluche, et sous les tickets de pesée, le bon vieux certificat de mariage déjà noué d'un ruban bleu. Impossible, vraiment. Tant pis pour les mots. Comme est impossible l'histoire de Jean qui épousa une femme laide parce qu'il croyait que la vertu, c'est de faire toujours ce qui vous est le plus désagréable. Il y a pourtant un moment gentil dans cette histoire (à traiter avec légèreté, à la Diderot : l'attendrissement des cyniques), celui où Jean s'aperçoit que sa femme n'est pas si laide que ça, et même pas laide du tout, et va s'éprendre d'elle ; et un moment tragicomique et freudien (on ne parle jamais du comique freudien et on a tort ; il y a des moments où Freud égale Courteline. Quand il raconte par exemple l'histoire d'une dame qui souffre de constipation, et à laquelle son mari, sur la suggestion du psychanalyste, apporte un soir un bouquet de fleurs ; la dame, par magie délivrée de son tourment, se précipite vers le retrait que l'on devine, et un joyeux bruit d'eau courante marque la fin de ce malentendu conjugal), le moment freudien donc où, par peur de l'amour, ou de l'amusement ce qui est aussi grave, je me retiens de dire plus, Jean détourne les yeux de cette femme embellie et se jette sur une maîtresse carrément hideuse qu'il s'inflige comme une discipline.

Toujours les méfaits des mots, quand on se laisse faire par eux. Jean préférait le mot vertu au mot amour, sans avoir l'idée de casser un peu ces noisettes : l'amande était peut-être la même ? Il préféra se casser les dents.

Mais je ne raconterai pas cette histoire. Peut-être, simplement, parce qu'elle est un peu trop claire ? La légende a mangé l'image, et il ne reste qu'elle. Stérilité. Après ce jour où la légende est devenue Dieu, pas de cloches, ni de nobles majuscules, ni de pleurs de joie : une longue torpeur encore, une inexplicable stérilité. Un interminable : et après ? Une attente, une peur, et encore, une révolte.

Daniel à onze ans écoute un disque d'Aznavour : *Après l'amour*. Haussant les épaules : « C'est idiot, qu'est-ce que ça veut dire, après l'amour ? On aime ou on n'aime pas. Il n'y a pas d'*après* l'amour... » Rêve d'enfant, nostalgie admirable et perfide. Une fois Dieu rêvé, je ne voulais pas qu'il y eût d'après. Le pas qui restait à faire était immense, infime, rien et tout. Le fil le plus léger retient l'oiseau au sol aussi bien que la plus lourde chaîne, disait saint Jean. Je ne voulais pas que ce fil se rompît. Angoisse du vide, de l'espace libre — et puis, pourquoi bouger ? Il n'y a pas d'*après* l'amour...

Paralysie. L'esprit bloqué. Et le corps : les muscles contractés à l'extrême, jusqu'à la sensation d'accomplir, en écrivant, un dur travail de force. De force : je force ma plume sur le papier, mon écriture devient de plus en plus lisible (ce qui est chez moi un très mauvais signe) le poids des mots augmente, les sujets se figent en tableautins, démonstrations, pièces anatomiques : impossible de leur donner la vie, même pour moi ! Oh ! il ne s'agit pas de bien ou mal écrire, de communiquer, d'écrire tout court : je n'arrive même plus à m'écrire à moi-même, je me regarde, je me secoue : rien. Je me dis : la peur. Mais la peur se pense, se nomme. Et l'angoisse était vivante.

Cette panique est un sommeil. Alors, Dieu faites quelque chose ! Ne suffisait-il pas de vous rendre justice, de vous signaler à chaque coin de rue, de faire de chaque livre une sorte de devinette. « Où est caché le bon Jéhovah ? » et en le retournant, on découvrait toujours votre barbe dans un coin.

Alors ? Et ma règle à calcul, ma patience, mon attention un peu pesante « que veut dire ceci, que signifie cela », ça ne compte donc pas ? Et mes états de service, l'église de l'enfance, les élans de mes seize ans, les folles amours (on m'a dit que vous aimiez ça ; l'angoisse n'est-ce pas...) et puis l'amour tout court, et le travail chaque jour plus difficile, toutes ces étapes, ces recoupements, ces additions et ces maux de tête, et lorsque, à la fin, embouchant ma trompette et, épuisée par tant d'efforts, je claironne : *Dieu ! ! !* à leur en casser les oreilles, vous me refusez de tenir votre partie comme il convient ? Révoltant, cette ingratitude.

Car enfin, qu'est-ce que je vous demande ? Bonheur, gloire, fortune, auréole ? Rien de tout cela. Un point final, voilà tout. Une conclusion. Quelque chose qui me permette de passer à un autre exercice. Un point, un simple point : modeste ponctuation. Et puis, quitter cette table, et m'en aller faire un tour, avant d'aborder un autre sujet (où, bien sûr, je suis prête à vous laisser votre place : à tout Seigneur...).

Mais non. En fait de ponctuation, c'était le point de suspension qui me venait, le point d'interrogation, la virgule. Et Dieu virgule, ça a beaucoup moins de gueule que Dieu ! ! ! Après trois points d'exclamation, on est en règle avec sa conscience. Après une virgule, non. Je m'obstinais sur cette virgule. Je m'y endormais. Une seule solution, la fuite, l'évasion, corde tressée avec des draps (beauté de ce symbole, y a-t-on réfléchi ?), bref,

un peu de lyrisme.

Images, histoires, figures symboliques. Rien d'évident dans ce que je vais écrire, plantant là Dieu comme une borne. J'écrivis dans un cri de révolte : Dieu n'est qu'un sujet ! Non, autre chose. Figures de femmes, bien sûr, figures de fontaines, couvertes de mousse et le visage mangé par l'érosion, déjà entrées dans ce mystère d'eau et de pierre qui fait qu'elles ne sont plus seulement femmes et symboles, mais objets déjà autonomes et secrets, couronnés d'une beauté qui n'est pas pure signification : quel repos !

Deux images, deux figures semblables et dissemblables. Me trahiront-elles ? Elles n'ont pas été choisies pour servir de témoins : *où étiez-vous tel jour à telle heure ?* Elles sont élues comme au hasard, mais un hasard inévitable : d'autres figures que j'évoquerais volontiers sont là, tapies dans l'ombre, et n'en veulent pas sortir. Il faut bien profiter de celles qui s'exposent à la lumière, obéissant à la cristallisation la moins concertée, mais peut-être la plus révélatrice. De cette docilité à la nature, j'attends une sorte de révélation. Qui sait si l'image et la légende ne vont pas se rejoindre en une harmonie secrète comme la voix des fontaines ? Qu'elle nous berce un instant, cette voix. Laissons-nous naître.

Louise, si folle, Jeannine, si claire ; toutes deux, semblables et dissemblables comme deux lierres qui s'enrouleraient autour du même arbre, mais en sens opposé. Leurs voix : si grave, celle de Louise, basse, recueillie, se perdant en elle-même et aspirant à se perdre ; celle de Jeannine si claire, si précise, filant les mots, les sons, et tout à coup vous donnant cette surprise de ne plus être intelligible, aucun mot n'est distinct, malgré la voix mince et pure qui vocalise, et s'élève en volutes et se dissipe en fumée claire.

Leurs arabesques, leur récitatif alterné qui jamais ne s'arrête, ne se fatigue ; l'Allegro et le Penseroso de Milton. Mais non pas joyeuse et pensive, alternance trop simple, trop pure : plutôt le grave et l'aigu, le sombre rossignol et l'alouette, légère, cruelle. Deux vocalises d'un ton différent, deux vertiges trillés se perdant d'une autre façon. Complémentaires pourtant du même thème ailé : la fuite.

Louise.

Le moment où j'ai pénétré dans cette chambre était vide. Vide, inoubliablement vide de remords, d'amour, d'émotion. Vide. Est-ce que tu as connu cela, le vide parfait ? Est-ce que vraiment tu sais ce que c'est, cet écoulement, les secondes qui précèdent, de tout ce qui te paraissait une raison d'être *là*, fût-ce une mauvaise raison, l'amour, ou le désir, ou peut-être une révolte, un *sentiment* quel qu'il soit, tout cela te quittant soudain, et, bien sûr, te paraissant si vain, si hors de question ? L'instant auparavant, hier, il y a un moment encore, tu étais dans la rue, tu savais qui était Etienne, ce qu'il voulait de toi, ses mots et les tiens étaient de la conversation, tu voulais un amant ou tu n'en voulais pas, tu l'avais rencontré, tu le fuyais, ou, au contraire, tu faisais déjà des projets : un mariage, peut-être, ou, si tu étais mariée, une fuite, ou du moins, l'amour. L'escalier encore aux murs vert d'eau, signifiait quelque chose ; et la femme qui vous ouvrait la porte était encore une femme ; déjà elle n'avait plus de nom, plus de passé, mais son sourire encore persistait. Puis cet écoulement soudain : je suis rentrée, et la chambre était vide. J'étais avec Etienne et la chambre était vide. J'étais avec moi-même et la chambre était vide. Vide, vide, moi-même vide de moi-même. Si le mot parfait a un sens, je sais le sens du mot parfait. Vide, vide, parfaitement vide.

Sa belle tête se renverse, verse, déverse, en arrière ses cheveux sombres qui s'épandent comme une nappe. Elle n'a plus de visage, ce visage un

peu trop beau, un peu trop dur, les yeux grands,
sombres, le nez droit, à l'arête aplatie, l'angle de
la pommette un peu trop net et trop sévère, ce
visage de statue oubliée dans un jardin public
(oubliée parce que, trop belle, on ne voit pas sa
beauté, et qu'elle-même en supporte mal le faix),
son visage se déverse avec ses cheveux, seule sa
gorge tendre et renflée, où passe le flot murmu-
rant des paroles, s'offre et se dérobe au couteau.
Car elle a fui, peut-être.

J'ai fui ?

— On peut parfaitement aimer un homme pour
son argent, dit Jeannine. On aime bien une femme
pour sa beauté ; alors ? Louis m'attend au *Berke-*
ley pour déjeuner. Vous venez ? Louis sera bien
habillé, il exhalera une odeur propre, soignée, an-
glaise ; il aura bien dormi dans une chambre si-
lencieuse ; il ne pensera ni à son costume qui ne
s'est pas chiffonné dans ses bagages parfaits (vous
savez, il y a un compartiment de la valise qui fait
portemanteau, c'est très commode, ça se replie
comme ça, bien sûr, c'est un peu encombrant,
mais...) ni au déjeuner qui sera parfait aussi, ni
à sa famille qu'il tient à une sage distance (chacun sa chambre étant remplacé par chacun son
appartement, ou chacun sa villa sur la Côte, ou,
en voyage, chacun sa *suite* et elles n'ont pas besoin
de communiquer), ni à son corps bien soigné (même ses petits ennuis, en somme, font partie de
son confort : les soins minutieux, le repos en

Suisse quelquefois, l'écharpe de cachemire dont il entoure sa gorge sensible), ni à son âme bien entretenue, il lit de bons livres dans de belles éditions, il se fait conduire aux expositions dans sa voiture bien fermée, bien insonorisée, il ne pensera à rien qu'il ne choisisse librement, sans entraves, sans obligations : un homme libre et qui me fait participer à sa liberté. J'aime qu'il choisisse sa saison, son heure, ses distances : Beyrouth peut être à quelques heures d'avion ou à distance de caravane. Il n'est même pas prisonnier de sa vitesse. Par raffinement, au contraire, il choisira souvent le temps et la saison des autres : mangera l'hiver le fruit de l'hiver, achètera le narcisse au printemps. Mais quelle différence dans cet accord choisi de son désir et de son sujet le plus proche, le plus naturel. Il a choisi de m'aimer. Il a choisi de m'être fidèle. Je l'aime pour sa liberté.

Louise.

J'étais saoule de significations, d'obligations, de choix. Non pas seulement les enfants, les menus mais les paroles, que dis-je, la seule vision de l'œil, une branche fleurie de printemps, balancée devant mes yeux par le vent tiède, il me fallait choisir de la voir, de ne pas la voir, et cette fatigue d'être ainsi poursuivie, partout où j'allais, par les images et les sons et les couleurs et les paroles, d'être sollicitée sans cesse par un visage, par un tableau, par la simple existence des choses, d'être sollicitée, happée, exigée de tous côtés par l'existence impitoyable et cannibale des choses, d'être ouverte par tous mes sens, les yeux, les oreilles, le goût, le toucher, d'être vulnérable par tous les pores et tous les sens et l'esprit à vif à force d'être nu, comme les pieds le seraient de marcher nus sans cesse, cette inadmissible fatigue, cette scandaleuse fatigue, cette exigence de tout, je n'en voulais plus, je la reniais, la repoussais, la refusais aussi de tous mes sens, fermant les yeux, les oreilles, muette, sourde, aveugle, insensible à l'amour nocturne, mangeant n'importe quoi, disant n'importe quoi ou rien, butée, fermée, rétractée partout, sauf cette faille qui toujours s'ouvrait ici et là, tout à coup un rais de lumière, le trait aigu d'un son, un mot, un objet, et tout se remettait à vivre, et tout se remettait à souffrir sur toute ma surface vivante, peau ou âme de quelque façon qu'on l'appelle, sur tout ce qui est susceptible de souffrir et d'être meurtri en moi. Puis Etienne, cette chambre, et la naissante opacité qui me gagnait à l'entendre mentir. Enfin, l'espoir, l'espoir du vide, du rien.

Jeannine.

Nous décidons de nous voir le mercredi, et le dimanche. Nous décidons. Rien ne nous y oblige. Rien qui nous contraigne de la semaine. Mais nous choisissons ces rencontres régulières pour n'être pas esclave de notre désir, de notre plaisir. Nous choisissons de faire ce que les autres font. Le dimanche, nous choisissons la campagne, nous choisissons l'encombrement. Un jour comme les autres, comme celui des autres. Nous sommes arrêtés à l'entrée de Paris, dans une foule. Les vitres sont fermées, l'insonorisation est bonne, nous écoutons le concert de la salle Pleyel physiquement entourés par la foule, moralement entourés par la foule de ceux qui écoutent le même concert au même moment. Toute la différence : nous pourrions avoir un orchestre jouant pour nous seuls, nous pourrions choisir un jour où l'on ne stationne pas sur la route, nous pourrions nous livrer à des « caprices de millionnaire » comme l'on dit dans les journaux. Nous choisissons librement de savourer la vie de tous, la fidélité de tous, l'eau pure qui n'est pure que parce qu'elle est choisie. J'aime Louis parce que je choisis de l'aimer.

Eau pure, pur visage de Jeannine ; pur, précieux, ses traits fins, comme posés sans appuyer par un pinceau imperceptible, qui pourrait être mou et n'est que délicat, visage effacé comme un souvenir, dont les lèvres même sont pâles, choisissent d'être pâles, insultent, peut-être, à la pâleur, à la pureté de ceux à qui ne reste que l'ombre, dont l'ombre est le bien, qu'elle dérobe...

Je voudrais expliquer ; on n'a pas le droit de choisir, dirais-je à Jeannine ; on défigure, on déforme, on souille le merveilleux hasard, le merveilleux élan, on n'atteint pas au cœur fortuit des choses, non ; dirais-je, du moins, si je ne sentais que cette ombre fluide et précise se démontre, se juge suffisamment en existant. On n'a pas le droit de ne pas choisir, de parodier le don, la belle générosité délibérée, on n'a pas le droit, dirai-je à Louise au seuil de cette chambre, si la berceuse qu'elle chante à voix basse n'était pas cette folle arabesque, inscrite déjà sur le papier, et qu'ai-je à faire en somme d'autre que de l'inscrire, et de restituer son chant, de lui donner la vie, impuissante à en faire comprendre le sens, car si elle ne porte son sens et ne signifie en elle-même c'est que j'échoue et il me faut écrire une autre histoire.

Leurs voix s'éloignent enlacées.

— Enfin, l'espoir de ne pas entendre, de ne pas comprendre, de ne pas aimer. Enfin, un instant, ce vide, ce repos, ce délaissement de moi par moi-même ; cet espoir de ne plus être, ce repos de ne plus être, ce vertige de ne plus être, la chambre vide, les mots vides, le monde sans couleur sans odeur et sans voix, le repos, la mort, moi vide de moi, encore un pas, un seul, ce vide à jamais, un pas, encore un, dans ce vide...

— Les vitres fermées, la foule autour de nous,

la foule dehors attendant (mais bien que klaxon-
nant, trépignant, injuriant, muette pour nous à
cause du système parfait d'insonorisation) et la
foule dedans écoutant les mêmes notes, frémis-
sant, soupirant, applaudissant les mêmes notes
mais absente pour nous à cause du banal miracle
(que nous avions choisi banal) de l'appareil radio,
et dans cette foule, en somme, notre solitude, puisque nous avions choisi cette double foule, l'approchant ou la reculant à notre gré, ne la subissant jamais, et l'équivalence absolue de notre situation banale de promeneurs isolés et entourés
sur la N. 12 ou l'autoroute du Sud au milieu de
tous les promeneurs et mélomanes rassemblés,
l'équivalence de cette situation, puisque nous
l'avions choisie, avec n'importe quelle autre situation, la plus baroque ou la plus insolite (à dos
d'éléphant ou au sommet de l'Everest) que nous
aurions aussi choisie, cette liberté, ce vide...

Leurs voix s'éloignent, leurs thèmes s'enlaçant
sans se toucher dans une fugue sans cesse reprise,
résolue un bref instant dans un accord fugitif, qui
serait la fin d'un chapitre (ou du chapitre qu'est
un livre) et se séparent à nouveau, s'éloignant,
s'éloignant de moi...

Donc, pour fuir Dieu, l'histoire de deux femmes qui fuient. Louise, trente-cinq ans, deux fillettes à nattes, un mari mathématicien (poésie des mathématiques, un thème qui m'est cher, et que je reprendrai avec le plaisir des choses cent fois répétées), Louise douée de tous les dons prend un amant pour ne pas vivre cette vie trop belle, trop comblée, trop terrible. Le mal qu'elle fait lui est bon, parce que le mal n'existe pas, alors que la vie, le beau, le bien, l'épuisent par leur trop d'existence. Elle sent que dans l'amour de son mari, l'émerveillement de ses enfants, la profusion des choses autour d'elle qui exigent son amour, son émerveillement, son attention, elle se consume, elle meurt un peu à chaque instant. Elle choisit l'absurde, pour ne pas s'épuiser. La mort, pour ne pas mourir. Mais elle ne réussira pas. Sous ses yeux, l'amant le plus lâche devient aimant, souffrant : un homme. Elle l'aimera, s'épuisera pour lui. Louise peut renoncer, ou se lancer dans la débauche. Au fond de tout elle se retrouvera vivante. « On n'échappe pas au Dieu jaloux. »

Jeannine, vingt-sept ans, blonde, journaliste d'un peu loin, comme tout le monde, divorcée, comme tout le monde, *lucide* comme tout le monde. C'est elle qui dit, par coquetterie, *comme tout le monde,* ce qui veut dire, comme tous ceux qu'elle choisit de connaître. Jeannine choisit son amant, ses plaisirs, ses travaux, choisit, choisit, se choisit elle-même, tant qu'enfin elle ne choisit plus rien qu'en fonction de ce personnage qu'elle est à elle-même et qui se doit d'agir, de s'habiller, d'aimer « comme Jeannine ». Ainsi fuit-elle infiniment ce qui pourrait, par impulsion déplacée, faire dévier ses décisions : le désir, par exemple, d'une robe ou d'un amant qui ne conviendrait pas à cette Jeannine qu'elle a créée. Comme elle se redoute et se craint, et se punit et se domine ! Comme elle se met au régime, se modèle, se rogne : quel ascète, Jeannine ! A force de se choisir, elle se fuit, et n'existe plus. Echappera-t-elle à jamais ?

Et moi ? Je n'échapperai pas, ni vous, au rapport entre ces deux femmes, qu'il me faut établir. Je n'échapperai pas, ni vous, au résultat de l'éternel calcul, cent fois refait avec le désespoir du comptable déficitaire, et pour retomber toujours sur le même total, que toujours je nommerai vérité, que toujours je nommerai Dieu. Et si j'avais écrit l'histoire de ces deux femmes je n'aurais toujours pas pu la terminer par un bon point final. Pas tant que moi-même je n'avais pu vaincre ma peur de la conclusion, ma peur du dernier pas, cette peur si vieille qu'elle datait du jour de l'Emeraude. Et je voulais la vaincre. De toutes mes forces.

Le travail aurait dû pourtant m'apprendre la résignation. Cet espoir merveilleux avec lequel on commence un livre, cette vision que l'on a du livre parfait, et qui dure tant que dure le travail, tant que raturant, reprenant, recommençant, on n'est pas arrivé à ce mot fin qui ne signifie pas que ce livre soit fini, mais qu'on a fait pour lui tout ce que l'on pouvait. « On n'achève pas un livre, disait Valéry, on l'abandonne. » Je ne voulais pas avoir, un jour, à abandonner ma vie.

Vaincre cette peur de la prison du choix. En arriver à une *solution finale* (noter pourtant que c'est sous ce vocable que Himmler désignait l'extermination des juifs). Et comme disait Alphonse le Pieux, roi du Portugal, auquel on expliquait le système de Ptolémée : « Si le créateur m'avait consulté avant de se mettre à l'œuvre, j'aurais recommandé quelque chose de plus simple. » J'en étais là. Je cherchais quelque chose de simple : la conversion, par exemple. En même temps, j'en avais peur. Je décidai donc de conclure avec Dieu une transaction. La vérité deviendrait ma règle de vie. Je l'appliquerais avec rigueur. Ce serait ma méthode, ma martingale. A ce prix, Dieu passerait bien sur mes tergiversations devant la petite formalité de l'eau lustrale et du registre ? Je serais un « travailleur indépendant » comme pour les Allocations familiales. D'accord ? Un petit clin d'œil vers le ciel, et en avant.

Je dois dire que les résultats ne répondirent pas à mon attente. Je n'en veux donner qu'un exemple, et un exemple qui date, si curieux que cela paraisse, *d'après* cette conversion si difficile à franchir. Un jour de fatigue, de distraction, et bien que depuis longtemps abandonnée, j'appliquai de nouveau cette méthode. On en sentira tout l'attendrissant ridicule

en trois mots.

Interview.

— C'est pour ou contre la religion, vos Personnages ?

— ... Ce n'est ni pour ni contre ; c'est-à-dire que...

— Enfin, vous êtes catholique ?

— Oui...

— Ah ! bon.

Il note. Il n'a pas de temps à perdre. C'est un jeune homme blond qui paraît avoir vingt-trois ou vingt-quatre ans, très sûr de lui, mais pas méchant, pas agressif. Il fait son métier : rapidité, efficacité, courtoisie. Et il m'explique patiemment, avec précision, ce qu'il désire — à moi de le lui livrer.

— Une chose sans vulgarité, mais que tout le monde comprenne, vous voyez ? Un topo sur le livre, sa signification, puis vous, votre vie, le rapport. Clair ?

— Parfaitement...

C'est clair, bien sûr. Le livre, ma vie, le rapport. J'ai dix minutes. Mon cerveau s'affole.

— J'avais noté deux ou trois questions... Ah ! Voilà. A la fin, votre héroïne se convertit, c'est bien ça ?

272

— C'est-à-dire... (péniblement). Je crois plutôt qu'elle prend conscience qu'elle est libre de se convertir ou non... (je prends mon élan et j'achève d'un trait) et-que-c'est-en-cela-précisément-que-consiste-sa-conversion.

Bien répondu, ça va. Le visage du jeune homme exprime une austère satisfaction, il note.

— ... Consiste sa conversion... Existentialiste, hein ?

— Je ne sais pas.

— Pardon ?

— Je veux dire, je n'ai pas lu les livres de Sartre, sauf les romans...

— Ces philosophes, tous des blagueurs, alors ? (Il ne sourit pas.)

— ... Je ne sais pas...

— Pardon ?

— Je ne peux pas y arriver.

— Pourquoi ?

Son sourcil se fronce.

— ... Oui... Bon. On n'en parle pas. Côté personnel. Le rapport. Vous avez songé à entrer au couvent ?

— Mais non !

— Crise mystique ?

— ... Je ne sais pas...

Il a l'air résigné du médecin auquel le malade n'arrive pas à expliquer son cas.

— Voyons, il faut pourtant que je leur dise quelque chose. Education catholique ?

— Non.

— Conversion, alors ?

— Oui.

— ... Bon, excellent ça, la conversion. Vous voyez, quand vous voulez.

Il note : *C'est à la suite de sa conversion que Françoise Mallet-Joris décida d'écrire la vie de Louise de la Fayette.*

— Ça va, ça suffit, j'arrangerai ça. Côté personnel, maintenant. C'est pour un journal féminin, il faut de la psychologie, de... Votre principal défaut ?

— Mon... ?

— Principal défaut. Ne vous affolez pas, on demande ça à tous les écrivains, vous n'avez qu'à dire n'importe quoi.

N'importe quoi, mais quoi, n'importe quoi ? Je cherche à travers un brouillard, je ne trouve que la vérité.

— L'impatience.

Il rit. Il note.

— C'est vrai, ou pas vrai ?

— C'est vrai.

— Vous dites toujours la vérité ?

— Non, mais j'essaye.

— Pourquoi ?

— C'est plus simple.

— Curieux, pour un écrivain, dit-il sans insister.

— Vous croyez qu'être écrivain, ça consiste à mentir ?

La question ne lui plaît pas. Ce n'est pas à moi à poser des questions.

— Il faut de l'imagination, non ?

— Mais l'imagination, ce n'est pas mentir.

— Non ?

— Non.

— Ah !

Il a l'air un peu désarçonné, et ensuite, bien sûr, mécontent. De plus, je lui fais perdre son temps.

— Principale qualité ? dit-il sèchement.

On sent qu'il ne tolérera plus aucune incartade. On n'est pas là pour rigoler, dit son sourcil froncé : « Je vous ai à l'œil. » Je dis précipitamment.

— La patience.

— Amusant.

Il se détend. Je ne vais pas lui dire que je ne l'ai pas fait exprès, qu'en fait, puisque je suis naturellement impatiente et emportée, mon plus gros effort me porte à contraindre cette impatience. Ce serait trop compliqué. Puis ne gâchons pas tout au moment où il consent à oublier mes propos saugrenus. Ages et prénoms de mes enfants, mes heures de travail, livres favoris, distractions (là, un petit flottement ; je ne me distrais pas. Si, je vais au cinéma, je marche, je lis, mais en fait, c'est parce que je suis fatiguée de travailler au bout de cinq heures, et que d'ailleurs mon métier, c'est aussi de lire).

— Si on mettait : distraction, le travail ? propose-t-il. C'est amusant.

J'ai un scrupule.

— Ça fait un peu austère, non ?

— Si... mais enfin... vous l'êtes, non ?

— Mais pas du tout !

Il redevient mécontent.

— Quand on ne sort pas, qu'on ne danse pas, qu'on se lève à 6 h 30, et que le travail vous amuse, on est austère.

— Ah ?

— C'est comme ça. (Il s'apaise, parce qu'il a le sentiment de m'avoir « rivé mon clou ».)

— La TV ?

— Pas bon. Peut-être : « Regarde la TV avec ses enfants. »

— La photographie ?

— Soit.

Il regarde son carnet, évalue.

— Ça peut aller. Vous pouvez vous vanter de n'être pas commode, vous.

— Ah !

— Vous devriez avoir l'habitude, depuis le temps.

Oui, je devrais. Mais je n'ai jamais pu prendre l'habitude de ce piège à double face, de cette bienveillante malveillance, de ces questions pas sérieuses et sérieuses pourtant, de cette équivoque collaboration à une tromperie commune (complicité latente ou avouée : *ça leur plaira*).

Il y aurait un langage possible entre ce jeune homme et moi — à la fois sérieux et méprisant ; on fait chacun son métier, on fait semblant de prendre au sérieux des choses qui ne le sont pas, mais que d'autres, pauvres dupes, avaleront de bon cœur. Ou alors le circuit sera complet : moi disant des choses pas sérieuses à lui qui les prend pour pas sérieuses et les transmet au lecteur qui n'y croit pas, mais à qui elles font passer un moment — *justement* parce qu'il sait qu'elles ne sont pas sérieuses, qu'elles sont *inoffensives*.

De toute façon, complicité, et complicité un peu louche. Suis-je là pour dire des choses inoffensives ? (Mais, par ailleurs, il n'y a rien de mal à se détendre. Et si cela détend de braves gens de penser que j'aime faire la cuisine le dimanche, de connaître ma recette de carbonnade ou d'aïoli, pourquoi non ? Cela *aussi* est bon, et fait partie de la vie. La détente est bonne si elle suit le travail, le sommeil est bon s'il suit l'état de veille et le prépare — et qui est juge de *sa* détente, de *son* sommeil, sinon l'individu ?)

Je n'avais pas la simplicité de me faire ces réflexions, ce jour-là ; je n'étais que raideur, crainte, béton, ciment, tout ce qu'on peut trouver de plus clos. Il y a des jours ainsi, où il semble que l'on ait oublié tout ce que l'on a si laborieusement appris. J'avais du moins l'excuse de ne pas appliquer ma pesante vénération à ma propre personne, mais seulement aux mots, dont l'usage m'apparaissait difficile et sacré, d'autant plus que je les voyais chaque jour profanés, arrachés à leur vraie peine. Au point que je concevais une sorte de vérité avec une telle fréquence que j'en recevais une joie (maintenant encore) à l'idée que les nazis brûlaient des livres, que l'O.A.S. aujourd'hui les imite. Si négativement que ce soit, le pouvoir des mots est là reconnu, et la cérémonie magique de Nuremberg, ses grands bûchers médiévaux, consacre la puissance de ceux qu'elle détruit.

Ah ! moi-même, combien médiévale, avec ma pesante, et paralysante, et touchante armure, devant ce malheureux fringant garçon, si léger avec son carnet, son bout de crayon, son costume en Tergal !

Une hostilité naît, spontanée.

— Alors, l'imagination, ce n'est pas mentir, hein ? dit-il sarcastiquement en rangeant ses petites affaires.

— Non.

Ma fermeté lui déplaît.

— Vous savez, le sort du monde n'est pas suspendu aux réponses que vous faites à *Marie-Claudine*... (il devient vulgaire).

— Je sais.

— Vous vous prenez un peu au sérieux, non ?

Autrefois, on se serait bien engueulés. Ça m'aurait fait du bien, et à lui aussi. Peut-être une sympathie serait née. On se serait revus, on serait devenus amis, qui sait ? Ou alors il serait parti en déclarant que j'avais « un caractère de chien » (c'est vrai) et en claquant la porte. S'expliquer ? Long, compliqué, ridicule. J'ai déjà bien assez de mal à m'expliquer avec moi-même, en trois cents pages. Et puis on n'a pas le temps. Et puis demain il faudra recommencer, avec *Marie-Christine*, *Marie-Catherine*, *Marie-Madeleine*... Avec la bonne, avec les enfants, avec mon mari, les amis, les autres, avec mon roman... J'essaye la cordialité.

— Votre défaut principal, ce n'est pas l'impatience aussi ?

Rire un peu guindé.

— Peut-être. Je vous ai fâchée ?

— Pas du tout, je vous assure. J'espère que moi-même...

— Mais non, voyons.

Nous hésitons un moment, entre hostilité expirante et cordialité prête à naître. Mais pas le temps d'élucider.

— Je cours chez... En retard... Double file, contravention... Content de vous avoir connue. Sans rancune, hein ?

Sans rancune, bien sûr. Où irait-on si on se mettait à avoir de la rancune parce que l'on ne parle pas la même langue ? Mais justement, le malaise qui me restait de cette entrevue, ce malaise parmi bien d'autres qui avait sa couleur, sa signification comme un « sujet », c'était qu'en effet, le jeune homme Tergal et moi, nous avions parlé chacun notre langue, chacun une langue choisie un peu par inclination, un peu par hasard, adaptée, si l'on veut, à nos caractères et à nos obligations, mais *égales*. Devant le jeune homme Tergal, je m'étais conduite comme ces grandes personnes que j'admirais, enfant, dont on disait : « Untel ne fera pas ceci, il est socialiste, il est protestant, il est juif, il est riche, il est d'une famille qui... » Je m'étais conduite comme ces grandes personnes qui *fonctionnaient* si parfaitement que tout paraissait simple comme un de ces beaux problèmes de trains ou de robinets : il suffisait de trouver un point d'intersection où se rencontrassent ce qu'on appelle famille, ce qu'on appelle opinion, ce qu'on appelle caractère, et ainsi de suite, et, grâce à ce point, toute la conduite, les paroles, et le moindre détail du comportement découlait de ce point. De temps en temps, il fallait refaire le calcul, bien entendu ; un tel s'était rangé, ruiné ou converti. La conversion apparaissait alors comme un séisme naturel (dont il m'était impossible de juger d'après les propos tenus, s'il était une bénédiction ou une catastrophe), mais à partir duquel s'il fallait quelquefois reprendre le problème à zéro, du moins l'existence de la solution n'était pas mise en doute.

Disant la vérité, ayant décidé que la vérité était le meilleur système et le moins sujet à variation, j'avais donc *fonctionné* parfaitement. Mais le jeune homme Tergal aussi avait fonctionné à sa façon. La communication entre nous n'avait pas été plus facilement obtenue, mais au contraire radicalement rendue impossible par la rigidité du parti que j'avais pris. A sa façon, lui aussi avait fait preuve de rigidité, d'ailleurs. Plus expérimenté, il eût feint d'adhérer à ma marotte, ou plutôt, sans même feindre, il eût parlé mon langage, par ce mimétisme qui fait que certains conversant avec des Anglais, prennent leur accent aussitôt. Moi-même, en me laissant aller, n'aurais-je pas pu adopter l'élégant mépris du jeune homme Tergal pour ce qu'il considérait évidemment comme une basse besogne, devant être accomplie avec désinvolture ? Si je n'avais pas fléchi, lui non plus n'avait pas cédé d'un pouce, avec un puritanisme égal. Nous étions encore bien jeunes tous les deux. Au fond, ce jeune homme Tergal était peut-être très sympathique ?

Tout cela, parce que j'étais fatiguée ce jour-là. Fatiguée de raturer, de rectifier, d'exister vraiment. La vérité en laquelle je croyais, je ne l'avais pas servie, je m'étais servie d'elle comme d'une forteresse à protéger ma fatigue, mon refus momentané d'exister. Et aussitôt, avec une promptitude magique, elle avait *cessé d'être la vérité*.

Ce dialogue banal, longuement soupesé, m'avait donné, à des années de distance, la clé de cette *nuit obscure*, de cette tentation traversée dans un état de demi-conscience : éternelle tentation du néant, ou, pour employer un mot moins solennel et plus perfide, du sommeil. Ne pouvant me nier l'existence de Dieu, n'osant pas m'engager tout entière dans cette foi, j'avais été tentée de transformer Dieu en machine. De lui faire prendre place dans le catalogue. Et pourquoi pas, de me consacrer au roman policier. Justement, j'avais un sujet, un beau sujet qui m'obsédait depuis longtemps déjà. Un sujet à dénouement assuré, un vrai sujet psychologique, avec coup de foudre à la fin, et trompettes, et céleste apparition au milieu des nuages. Ce sujet, c'était l'histoire du

Commandant J.

Tout s'équilibrait pour me permettre de le traiter, ce sujet. La fascination qu'exerce depuis toujours pour moi (horreur et curiosité mêlées : comment peut-on expliquer, comprendre *cela*) les récits de camp de concentration, de tortures, de violences. L'indignation purement idéologique de voir la façon dont se déroule le procès des bourreaux (ce choix que l'on fait de quelques boucs émissaires, qui ont, dit-on, *donné les ordres*, et que l'on exhibe sous une cage de verre avant de les exécuter, libérant ainsi la conscience de tous les braves gens qui n'ont fait qu'obéir). L'intérêt que m'inspire un certain type de personnages, d'une pâte un peu épaisse, un peu lourds à remuer, mais bien concrets, bien palpables, existant avec toutes leurs manies, leurs habitudes, bien enfermés dans la gangue de ce corps si lent à s'émouvoir. Tel est le commandant J., dont j'ai la photographie sous les yeux. Un visage régulier, une mèche claire sur le front, et, malgré ses tribulations (cette photo est prise au cours d'un quelconque procès de Nuremberg), un bon regard encore confiant. Il pourrait être mon frère, ou mon père, ce Germain consciencieux. Cet officier nazi qui dirigea longtemps des commandos d'extermination. Visage étonnant par sa banalité sympathique. Et aventure qui vient à point à qui parle de conversion. Qu'on en juge.

Le commandant J., comme bien d'autres, extermina, puisque c'était son métier. Il extermina des juifs, des tziganes, des fous. Il extermina des Polonais, des Russes, des apatrides. Il extermina des soldats (c'était la moindre des choses), des paysans, des résistants, des suspects, des demi-suspects, des quarts de suspects ; il extermina des hommes, tout simplement. Ce qui lui tombait sous la main, quoi. Quoi d'exceptionnel jusqu'ici, et qui mérite mention ? Rien, j'y viens. J'ai dit qu'il extermina des hommes, et je l'ai dit au sens restreint du terme. Vint un jour où on lui demanda d'ajouter à sa liste des femmes et des enfants qui n'étaient pas moins suspects. Le commandant J. n'en était pas à cela près. Il avait déjà trois cent mille morts, tant civils que militaires, à son actif. Eh bien, le commandant J., qui avait jusque-là donné toute satisfaction à ses chefs, qui avait exécuté « les ordres » sans ombre de répugnance ou de doute, et avec les meilleurs résultats, le commandant J. parla d'honneur, parla de conscience, et refusa.

C'est l'instant de la vie du commandant J. qui me fascine. L'image de cet instant où l'*honneur*, où la *conscience* se manifestent si étrangement, après avoir digéré le plus gaillardement du monde trois cent mille morts. Tout d'un coup, cela ne passe plus. On a beau lui faire les objections les plus sensées : parmi ces enfants, il y a de futurs hommes ; et ces femmes sont les mères d'autres hommes, qui deviendront des ennemis, des *éléments radicalement suspects*. On a beau lui dire qu'*il n'est pas logique*, même cet argument, si sensible aux cervelles germaniques, ne convainc pas le commandant J. Le commandant J. refuse, et s'en va. On croirait que ce héros un peu spécial meurt fusillé, rachetant ainsi ses erreurs ; on le souhaiterait, ce serait alors une histoire édifiante. Mais non. Le commandant J. a brisé sa carrière, c'est vrai (on dit que, pour un militaire, c'est le plus haut degré d'héroïsme). Il est envoyé sur le front russe, avec le grade de simple caporal. C'est payer cher, pour quelques femmes juives qui seront d'ailleurs exterminées par un autre. Mais il ne meurt pas. Il a encore la malchance d'être arrêté par un tribunal américain, qui tenant compte de ses efforts (élève peu doué, mais fait de son mieux), le tient quitte avec dix ans de prison. Grâce à sa bonne conduite — on n'en attendait pas moins de sa part —, il est libéré au bout de six ans. A l'heure actuelle, le commandant J. arrose sans doute son jardin quelque part en Allemagne. On le verrait assez réfugié dans l'agriculture, cueillant des fleurs, élevant ses fils (il est à noter que dans les commandos d'extermination, la proportion d'individus aimant les fleurs et les enfants était étonnamment supérieure à ce qu'elle serait dans une armée ordinaire, fertile en grincheux et en misogynes. Défoulement ? Il y a peut-être là une méthode ?) C'est la fin de son histoire. Si sa conscience et son honneur se manifestent une seconde fois, nous n'en saurons rien. C'est la première qui m'intéresse.

La première, et ce visage qui m'apparaît de temps en temps, avec des traits humains, ces bons yeux, par exemple, ces dents un peu irrégulières (on a voulu lui faire porter un appareil quand il était petit, mais rien à faire) — ce visage voisin du mien, après tout.

Impossible de rêver sur le visage de Hitler, de Eichmann : trop loin de nous, trop enfermés dans leur monde clos, plat, définitivement coupé du nôtre. Tandis que J., Hans Friedrich J. ... N'est-ce pas un mouvement que l'on éprouve soi-même quotidiennement, que de se dire : *non, pas cela ?*

On fraude le percepteur, mais on ne cambriole pas une banque. Ou on cambriole une banque, mais on ne tue pas. Ou on tue, mais on ne torture pas. Ou... Chacun se fixe ainsi des interdits, s'arrange une petite conscience à soi, comme on arrange un jardinet devant un pavillon de banlieue, réservant, au milieu de la plus complète bassesse, un gentil parterre de scrupules, qui permette de juger les voisins. Ce n'est donc pas le mécanisme de pensée du commandant J. qui m'émerveille, c'est qu'il ait fonctionné si tôt, ou si tard. C'est l'instant précis où il a fonctionné. *Son visage à cet instant-là.* A-t-il hésité longtemps avant d'envoyer la lettre qui demandait sa mutation ? Je le vois penché sur une pauvre table de bois mal dégrossie, qui accrochait la main ; peut-être s'est-il arrêté un moment, même, pour enlever de sa paume une minuscule écharde qui s'y était fichée, avec un « ... ttt... » agacé. Puis il s'est gratté le nez, a fourragé dans ses cheveux avec le bout de son porte-plume, comme il faisait, écolier, et puis il s'y est mis, cherchant des prétextes, de ces grandes formules de politesse allemandes qui forment comme les marches d'un escalier d'honneur au bas duquel se tient le demandeur, à distance respectueuse... et prudente. Il a dû réfléchir pas mal à cette lettre, dans la baraque tenue aussi propre que possible pour messieurs les officiers, mais bien pauvre tout de même, près du poêle administratif, dans un petit froid sec empesté de fumée. Non loin de là, il y avait peut-être des hommes qui creusaient leur propre fosse, et n'avaient plus le temps de faire un examen de conscience. Mais lui, réfléchissait. Valait-il mieux invoquer la maladie, ou toucher un mot de ses scrupules ! Il ne put s'empêcher, par une sorte de coquetterie de la plume (il était peut-être taillé pour faire un écrivain, ce commandant J., qui sait ?), de faire allusion à « l'état de ses nerfs qui résistaient mal aux pénibles obligations de sa mission ». Cette innocente vanité le perdit ; plus encore que son refus déguisé, cette délicatesse avouée — dont il était peut-être fier en secret (je ne suis pas fait pour de telles besognes, devait-il se dire avec un amour-propre d'*intellectuel*) —

286

lui fit tort. Départ pour le front russe. Dégradation. Mystère de cette vie qui continue.

C'est cet instant précis qui m'intéresse, et la table de bois, et l'honneur, et l'hésitation ; il pourrait bien s'appeler une conversion. On peut imaginer autre chose, bien sûr ; une simple lassitude, un écœurement physique (le commandant d'Auschwitz nous a laissé le récit émouvant de ses déboires, de ses difficultés à se débarrasser des cadavres de ses encombrantes victimes). On pourrait prêter à Hans-Friedrich une sorte de jovialité : « J'en ai soupé de ces massacres ! » ou une fierté creuse, dissimulant mal la nausée qui monte : « Je ne suis pas devenu soldat pour tuer des enfants ! » Mais je préférerais pour ma part un simple malaise, qui a grandi de jour en jour, et dont on a remis l'examen au lendemain, quelque chose comme une petite rage de dents dont on n'a pas voulu s'apercevoir, de crainte du dentiste, et tout à coup ce n'est plus tenable, il faut y passer, et on s'assied à la table de bois (gueulant à son ordonnance : « Alors, ça vient, ce bloc papier ? » parce qu'on écrit rarement, alors que l'ordonnance griffonne du matin au soir sur le papier trop fin, qui sait, des vers peut-être ?) et on écrit la lettre, sans révolte (on n'est pas de ceux qui rêveraient, même un instant, à la fuite, à la révolte, on n'est peut-être même pas de ceux qui se donnent raison : mais on ne *peut plus*, voilà tout, on ne peut plus). Avec ou sans vanité, qui le saura jamais, on trace ces mots : « ébranlement nerveux », ces mots qui vont faire du commandant d'avenir un caporal brimé, et vite, on ferme la lettre, va porter ça en vitesse au courrier, et on va inspecter les dernières tombes, sans pitié, avec même un peu de rancune pour ces victimes encombrantes qui viennent de briser la carrière du commandant du IIIᵉ Reich, Hans Friedrich J., un brave garçon aux cheveux un peu longs, guère enclin à se poser des questions, et dont j'ai le visage anodin sous les yeux. On peut appeler cela une conversion, oui. L'instant où les choses changent de visage. Ou plutôt, l'instant où on leur *consent* de changer de visage. Avant ces instants, les morts n'existaient pas, les fosses n'existaient pas, l'odeur, le soir, qui parvenait jusqu'aux villas réquisitionnées où on écoutait de la musique, l'odeur, à cause de ce sacré vent d'est, l'odeur n'existait pas. Qui sait si le commandant J., avec sa mèche châtain clair en travers du front (jeune S.A. on le réprimandait pour ses cheveux trop longs, mais on n'en était plus là), qui sait si le commandant J. lui-même existait ? Qui sait s'il existait, avant ces instants ? Et ce n'est pas de changer de visage, au fond, qu'il donnait pouvoir aux choses, le jour où il écrivit cette lettre maladroite, avec des tournures prétentieuses et une faute d'orthographe. C'est d'exister qu'il leur donnait pouvoir, comme à la rage de dents soudain avouée. Ce qui me passionne et fait pour moi un frère de ce bourreau petit garçon, c'est cet instant où il donne enfin aux choses pouvoir d'exister.

Lui aussi pouvait dire : « Avant cet instant, je n'ai jamais pensé. » Et c'était vrai, et pas vrai, petit frère aux beaux cheveux, à la bouche douce, qui a dit « Feu ! » des milliers de fois.

Mais cet instant était venu, bref et brûlant comme la foudre, bref et précis comme un coup de couteau, et c'en était fini de dormir, fini d'ignorer, fini d'aimer la musique pour elle-même, par les beaux soirs d'exécutions. Fini ? Du moins serait-ce la fin de ce livre, si je parvenais à l'écrire. J'abandonnais Hans Friedrich J. à son destin. Après tout, il avait eu ce visage, cet instant, cet éclair : à lui de s'en accommoder. De traverser la guerre et le front russe, la paix et le tribunal américain, la vie et la prison, et le pavillon de banlieue, avec ce viatique. Je lui avais donné sa chance, qu'exigeait-il de plus ? Et pourquoi me refusait-il, lui aussi, le point final ?

Car il me le refusait. Il restait là, figé, à sa table de bois, sa lettre finie, sans faire un geste, sans avoir un mot qui me permît de l'abandonner sans scrupules. S'il se levait, et allait, comme il devait le faire ce soir-là (et encore quelques autres soirs, jusqu'à ce que sa lettre fût arrivée, eût été examinée, eût reçu sa réponse) surveiller l'enterrement ou l'incinération des cadavres — avec cette mauvaise humeur que j'ai dite (cette petite pluie fine, le comble !), avec cette rancune sourde (dans quel pétrin je me mets pour ces déchets !), avec cette peur, cette paralysante peur qui maintenant ne peut pas ne pas l'envahir, pas la peur des sanctions, non, ni même celle de la mort, mais la vraie peur, la seule peur, celle de sentir croître en lui cette puissance à laquelle il a donné pouvoir d'exister, qu'il a nommée conscience, qu'il a nommée honneur, que j'ai nommée vérité, que je *nommerai Dieu, désormais.*

Ainsi tout me ramène au même point, chaque fois bronchant devant l'obstacle. Et pas plus que je n'écris l'histoire de Jeannine et de Louise, je n'achève l'histoire du commandant J. Parce que ce serait un mauvais livre, et, pis, un livre faux. Parce que sa fin est un commencement. Parce que c'est au début du livre que devrait luire l'éclair, que devraient retentir les trompettes, et que la suite de l'histoire, c'est la marche hasardeuse dans les ténèbres où l'on s'est engagé sur la foi d'un éclair, l'interminable effort qui ne finit jamais, la route qui s'allonge toujours, et l'inexorable exigence à laquelle on a eu, *une fois*, l'imprudence de répondre...

Parce que cette lettre qu'écrit le commandant J. est le début d'une histoire, et cette lettre que je m'adresse le début d'une histoire aussi que je ne peux, ne veux, n'ose encore, écrire... Une histoire à laquelle tout me ramène, qui finit et commence à la fois un oppressant matin de juin, sous les marronniers poussiéreux de l'avenue Latour-Maubourg, une histoire où chaque pas traînant, me rapprochant de la petite chapelle (temps perdu devant une vitrine aux livres fanés, temps perdu à pousser un caillou du pied, lentement, dans une rigole) où chaque pas hésitant, morose (« Mais pourquoi, mais pourquoi est-ce que je fais cela ? ») compte, où chaque instant de l'angoisse combattue, vaincue, renaissant de ses cendres (« Pourquoi, mais pourquoi... » et de tant de bonnes raisons savamment déduites, seule subsiste en cet instant la plus bornée, les dents serrées pour vaincre une nausée « Parce que je l'ai décidé »), chaque pas, chaque instant d'angoisse m'approchant de ce terme, de ce seuil, de cette fin, de ce commencement, de cette vie et de cette mort mêlées... Si jamais j'ai su ce que c'était que la peur, la peur la plus complète, physique et morale, doute et nausée, répulsion, colique, absurdité, horreur du vide, de tous les vides, ce fut bien ce jour-là, devant la vitrine des Editions du Cerf, avenue Latour-Maubourg, fixant un exemplaire défraîchi de Virgile dans l'édition Garnier, volume jaune, au coin taché, dont il me semblait sentir contre l'ongle le contact râpeux et déplaisant. Que les Editions Garnier me pardonnent, chaque fois que je revois un de ces volumes, un vague mal de mer me reprend, et vite, je détourne les yeux. (Ainsi, enfant, ayant contre l'avis de ma mère lu pendant un long trajet d'autocar un petit roman illustré, avec le résultat que l'on devine, pendant des mois je ne pus contempler le livre maudit sans nausée.)

Et c'est bien, de ce jour où j'écrivis le mot Dieu, où j'établis pour moi le rapport Dieu avec ce ravissement mathématique, à cet autre jour des marronniers, ce que fut l'intervalle : un long trajet en

autocar.

Sujets esquissés, abandonnés aussitôt. Révoltes brusques, accablements complets. A Dieu : « Tu me dois tout, puisque je te donne l'existence. » puis sans transition, passant de la rage à la peur — « Je te dois tout, puisque je te dois ma liberté. » Controverses furieuses, passionnées. Et tout à coup, l'étreinte relâchée, quelques jours de repos béni, de sommeil, d'inconscience. Tout redevenu délicieusement absurde. Merveilleuses promenades dans la ville, merveilleuses juxtapositions d'enseignes, de vitrines, de phrases dans le métro, de visages pittoresques, de petites robes pas chères, de journaux, de cinéma — écrire cela, art décoratif, soulagement béni : enfance artificiellement retrouvée, et les délices du coloriage devenus légèrement pervers... La patience un peu gauchie (« ça passera »), l'attention un peu déviée, s'attardant aux superficies (« il y a un Temps pour écrire, un Temps pour observer »), la violence savamment canalisée vers des objets très limités... Mais pas de livre ! Pas d'enfant déformé par cette thalidomide ! Cher travail qui ne se laissait pas berner, n'eût-il servi qu'à cela, il aurait mérité ma fidélité pour toujours. Cher travail empoisonnant, rebelle, cher manque de facilité qui m'enchaînait et m'enchaîne à cette table jusqu'à ce que j'aie trouvé bon gré mal gré, les mots qui signifient, parce que je n'ai pas l'art de manier les autres, il fallait bien par lui me laisser faire, cahotant, bringuebalant, secouée dans tous les sens, le maudissant et cramponnée à lui tout de même, et emmenée toujours plus avant nonobstant malaise et nausée...

Car il l'exigeait. Car la logique de mon travail l'exigeait. Car, comme pour le choix d'un sujet, il me fallait équilibrer l'image et la légende, le choix de ma nature (cette part d'inexplicable, de grâce et de poésie attachée à certains lieux, certains sujets, certains visages) et le choix de ma volonté (certaines choses importantes à dire, à communiquer, et qui me fussent essentielles), pour ce choix enfin d'une vie (c'eût été un choix aussi que de la laisser flotter dans l'absurde), il me fallait m'engager enfin tout entière, non seulement par l'esprit, par le cœur, mais par chacun de mes mouvements les plus matériels, par toute mon existence quotidienne qui deviendrait alors, comme le sujet à l'aide de chacun de ces petits mots si lourds à soulever, complète, image et légende, grâce et volonté, le sujet un livre, l'existence une *vie.*

Ainsi je n'échapperais pas à ce dernier et premier pas. Comme le sujet encore mien devient livre et m'échappe, l'existence m'échapperait, dédiée, donnée. Et comme au seuil d'un livre un instant je m'arrête — si cependant je me trompais,

si ce sujet n'était pas *mon* sujet, ce ton *mon* style
vrai, cet équilibre *mon* équilibre, il est si facile
de se tromper, et je m'engage toute pour deux
ans —, au seuil de cette vie qui commence quand
on la choisit, je m'arrête encore un instant, un
seul ! et j'invoque comme à chaque instant où la
peur revêt le masque flatteur de la réflexion, j'invoque ce visage consolant des jours de lassitude,
ce pur visage ami de

Théo.

Théo. L'enfant plus petit, qu'on prend par la
main pour se sentir moins seul. Qui trébuche un
peu, au bord du canal, car on fait pour lui de
trop grandes enjambées. Qui babille à tort et à
travers sans écouter nos graves confidences. Qui
ramasse un caillou, lève la tête pour suivre un oiseau — mais qui, quand on s'arrête, qu'on s'assied sur le talus, les yeux fixés sur ce triste paysage, ce pays plat coupé par les péniches et les
bicyclettes au même niveau — qui a déjà les
mêmes yeux attentifs, un peu meurtris, et la patiente douceur des futures misères parisiennes.

Théo. Humble vie sans révolte, vie d'employé
consciencieux, de bon fils, de bon père ; Théo
débarquant à Paris pour vendre des tableaux, avec
encore la redingote trop longue et l'accent pesant
de là-bas, et la pesante douceur patiente des pe-

tites gens, et l'admirable confiance aveugle de l'amour... Théo qui gagne sa vie si petitement, *gravit des échelons*, fait des économies, suit pas à pas l'humble sentier battu, comme il suivait déjà le bord du canal... Théo dont toute la force s'épuise au fil de ces petites lettres si simples, si gauches, qui s'en vont, avec un billet de cinquante ou de cent francs, vers Arles, porter la paix, la tendresse, la confiance, à l'être démesuré qui se bat avec les couleurs. Théo ne connaît pas cette grisante souffrance ; Théo ne devient pas fou, petit à petit, d'épuisement et de tension. Théo n'écrit pas d'admirables lettres pleines de feu qu'on lira dans les anthologies. Combien peu d'éditions comporteront, avec les lettres du peintre des Corbeaux, celle du frère modeste dont il dit pourtant : « Tu es le coauteur de mes œuvres... je peins avec toi... » Combien peu s'attardent à ces lettres toutes pareilles, à cette longue cantilène monotone, de l'admirable monotonie de la foi.

Vincent continue son terrible combat, qui ne peut s'achever, il le sait depuis toujours (depuis l'époque de son pastorat où, vêtu de haillons, couchant dans une hutte, il rêvait déjà de se donner tout entier, tout d'un coup — si embarrassé de son grand corps, de son violent amour maladroit), Vincent continue le combat avec l'Ange, devient fou, se reprend, l'oreille tranchée, les tournesols, l'hôpital, Auvers... étapes d'un chemin de croix cent fois décrit et médité.

Théo continue, aussi, à vivre. Il ne combat pas,

non. Il essaye, avec cette bonne volonté d'enfant studieux, mais pas trop doué, de vivre comme tout le monde — d'avoir un petit appartement coquet, de se soigner. Il se marie, a un enfant — n'est-ce pas ainsi qu'on fait ? — et continue à écrire des lettres, à envoyer de l'argent, ce qu'il peut. Quand le combat de Vincent s'achève, Théo est à bout. A bout de santé, à bout de force. Il ne connaîtra pas l'heureuse médiocrité de l'appartement coquet, de la situation améliorée, de l'enfant grandissant. Cette longue transfusion de sang qu'a été sa vie l'a miné — son œuvre à lui aussi est achevée. Il n'a plus besoin que du repos, à Auvers, de cette tombe jumelle, sur laquelle glisse le regard des pèlerins.

Comme on le faisait autrefois pour ceux qu'on admirait, j'ai rêvé d'écrire un Tombeau de Théo van Gogh. Mais il n'aurait pas aimé cela, sans doute. Comment louer, et de quelle louange, cet amour d'abnégation, si pur qu'il n'a pris forme que par celui auquel il s'adressait ? L'admiration qu'on donne aux tournesols, c'est aussi au long amour de Théo qu'elle va.

J'aime cet amour au parfum modeste, si pudique, si familier ; je l'aime parce que c'est un amour de mon pays (à quelques kilomètres près, mais on ne me chicanera pas sur une frontière) que je vois entouré de ces plantes vertes si cérémonieuses, si touchantes, qu'on aperçoit derrière les petits carreaux des laides maisonnettes hollandaises et flamandes ; j'imagine Théo prenant du

café et des tartines, avec cette ponctualité qui nous
suit partout, nous autres des pays plats ; je le
vois choisissant le papier de cet appartement, avec
cette confiance minutieuse en la vie qu'aucun désespoir ne peut abattre (nous sommes si habitués
à l'hiver !), et peut-être, écrivant ces lettres où
s'en allait sa vie, chaque jour à la même heure,
consultant la grosse montre posée sur la table,
avant de partir pour « le magasin ». Non, ce n'est
pas un combat que cet amour épuisant, monotone
— c'est l'arme du combat d'un autre, qui sans elle
se fût effondré au premier effort.

Visage ami de Théo ; visage aussi de Vincent,
bien sûr. On ne peut les séparer l'un de l'autre.
C'est ce qui me les rend si chers. On va sans cesse
de l'un à l'autre, et leur rapport... J'y reviens encore. J'y reviendrai toujours. A ces deux tombes
jumelles dont m'apparaît toujours la signification
mystique. Croira-t-on que si je voulais donner à
ce récit, si difficile à faire, une protection, et placer
à son faîte une figure tutélaire — ou, comme on
dit, un *saint patron* — je choisirais Théo van
Gogh ?

Et pourtant, avant d'en tracer les derniers mots
— avant de dépasser cette vitrine et ce volume
défraîchi auquel mes yeux s'attachent comme avec
désespoir —, il me faut encore un autre personnage. Car le double visage de Théo et de Vincent
n'est que l'emblème de cette harmonie vers laquelle il me faut tendre sans espérer jamais la
réaliser sur cette terre. Et comme, pour écrire mon

297

livre il me faut à la fois concevoir ce que serait
la perfection de ce livre, et me résigner à ne l'atteindre jamais, à cette recherche de l'harmonie que
figurent si bien les deux tombes d'Auvers, il manque encore une résignation qui est aussi un espoir, et ce visage ambigu, imparfait comme nous,
de

Léonie.

Léonie Martin, au prénom disgracié, au souvenir
comme un peu souffreteux lui aussi, tout assombri
qu'est son visage par la rayonnante présence à
son côté de sa sœur Thérèse qui, devenue Thérèse
de Lisieux, n'a plus de nom de famille, sainte
Thérèse.

Léonie, sœur de sainte Thérèse. Sœur pour
l'éternité. Destin disgracié.

Ni mère ni femme, Léonie ; nonne, elle aussi.
Nonne, et sœur d'une sainte. L'impossibilité d'égaler, que dis-je, d'approcher jamais de la petite
carmélite. Ses autres sœurs aussi ? Mais Léonie
souffrit plus que Pauline, « petite mère » de la
jeune sainte, plus que Céline, sœur d'élection,
plus que Marie, aînée et prieure. Léonie, traversée
de doutes, d'inclinaisons diverses, et ne pouvant
imaginer d'autre *ordre de perfection* que celui
de la vie monastique, qu'on lui avait depuis l'enfance montré comme le plus haut, se résignant,

se reprenant, quittant un couvent pour un autre, et rentrant une fois, définitivement, dans un ordre religieux. Y entrant d'avance dépassée, vaincue : Léonie dut souffrir plus que toutes.

On sait peu de choses sur Léonie. Comme il est naturel, les biographes ont concentré leurs feux sur la « petite Rose ». Figure perdue, comme celles qu'on aperçoit à la vitre d'un train qui part, ou sur la route alors qu'on est soi-même prisonnier d'une voiture. Ou, sur la toile d'un musée de province, ce visage sans nom, *attribué* à un peintre obscur, et gardant son secret, dans la pénombre... Cet antagonisme qui l'opposa, enfant, à une servante, cette inquiétude de sa mère (cette pieuse et charmante Zélie), cette violence qu'on devine, ces hésitations avant d'entrer au cloître, pieusement tuées par les parents, et dont ne nous parvient plus qu'un faible écho, puis sa décision, et ces mots avec lesquels on en finit : « *Elle fut une bonne religieuse.* » Mystérieuse, oui, mystérieuse Léonie. Figure de fuite, figure botticellienne, poétique et triste, un peu maladive, un peu trouble.

Quelles solutions, pour Léonie ? Trouver une autre forme de perfection, un autre ordre de vérité, dont la voie ne lui parut pas barrée — comme on dit que l'horizon est bouché — ou, au contraire, puiser dans la certitude de l'échec une nouvelle vocation, une nouvelle humilité plus parfaite — vocation de l'imperfection, acceptation de l'imperfection...

Oui, Léonie serait une assez bonne patronne pour un roman.

Un de plus.

Puisqu'il est dit que je vais écrire un roman. Un de plus, comme dit Lucien. Tu as du courage, comme dit Luc. Un roman où il ne sera pas question de mon angoisse, ni de l'Algérie, ni de l'éducation des enfants, ni de la vérité, ni de la mort d'un ami qui m'afflige, au moment où j'écris ces pages. Ni de Dieu. Un roman où il ne sera question de rien, mais où tout jouera un rôle, comme la nourriture que j'absorbe, comme l'air que je respire, et qui constitue mon moi, en somme, autant que mon goût pour la vérité, ma foi en Dieu.

Dieu lui-même ne sera rien de plus, rien de moins, pour ce livre, qu'une nourriture absorbée, substance de mon sang, partie de mon moi. Dieu ne sera pas l'assassin. Je ne me servirai pas de Dieu pour écrire ce livre, mais j'espère que Dieu se servira de moi.

Un livre, n'importe lequel. Une histoire d'amour, ou celle d'un homme qui écrit son journal, ou celle d'une jeune fille qui entre au couvent... Peu importe. N'importe quel sujet, comme je me sens être n'importe qui. Une simple *donnée*, comme celle d'un problème. Donnée inéluctable, bien sûr ; il n'est en ce moment qu'un sujet possible, comme il n'y a qu'un moi. Donnée identique, avant la

300

conversion et après. Identique, et pourtant... Allons, je vois bien qu'il faut que j'en vienne à cet instant ; qu'avec le plus de simplicité, et, en somme, le moins de précautions possibles, j'en vienne à ce jour où j'avançais parmi les marronniers étouffants de l'avenue Latour-Maubourg, avec l'angoisse de toujours bien présente, et ce désespoir de vivre qui me faisait répéter : « Il faut en finir, il faut que *cela finisse !* »

Et *cela*, cette rébellion du corps, ce suprême sursaut, ce refus de se rejoindre, de n'être qu'un, ce désir d'échapper encore un instant, ne fût-ce qu'un seul, à cette écrasante responsabilité d'être soi... Lucien, toi qui dis : « C'est bien commode, d'avoir la foi », est-ce que tu l'aurais franchi, ce seuil ? Je l'ai fait.

Je l'ai fait avec dégoût, avec répulsion. Marronniers poussiéreux, lourde chaleur de juin, lourd silence des beaux quartiers désertés à onze heures, que j'aurais voulu fuir ! Adieu, certitudes, espoirs, et même tentations. Rien ne demeurait plus que ce courage animal et stupide qui fait face et qu'on appelle justement le courage du désespoir. « Si je ne le fais pas aujourd'hui, plus jamais je n'irai jusque-là. » Et aussi « Parce que je l'ai décidé. » Je montai l'escalier. Alors ? La chapelle, bien sûr, et tout cela, cierges et paroles lentement consumés, cela cent fois décrit, si usé et si neuf ; et moi, étrangère à ma propre volonté, subissant l'inconcevable supplice, entendant ma propre voix énoncer les mots inconcevables. — Renoncez-vous... ? — *J'y renonce.* — Croyez-vous... ? — *J'y crois.* Faut-il vraiment d'autres détails ?

L'avenue toute semblable, après, et la vitrine. Et en moi, le silence des cataclysmes. Le métro, attendu longtemps, avec une étrange faiblesse dans les membres. De temps en temps, avec une débile fierté sans écho, ces mots dans ma tête : « Je l'ai fait. » De nouveau le silence ; une ville ravagée par les bombes, ou la surdité ouatée des convalescences. Cela va durer plusieurs jours.

Les mots, les enfants, mes mains gourdes qui laissent tomber les objets. L'irréalité de ma chambre, de ma voix, du lait qui déborde et me brûle le doigt. Aïe ! Je le regarde, mon doigt, et tout à coup — « *Mais qu'est-ce que j'attends ?* »

Alors tout à coup, l'avalanche, le débordement (là aussi) des pensées, des émotions, des malaises, de tout depuis l'origine, et secouée jusqu'à la plante des pieds par ce tourbillon, par cette poigne affectueuse et violente et pourquoi pas, malicieuse aussi, cette fois c'est ça, ce sont les trompettes, les voiles qui se déchirent, la corde qui se rompt, le *coup de foudre,* tant pis si la métaphore est usée, parce que ce n'est pas une métaphore, et que celui qui est foudroyé ne se préoccupe pas de statistiques et de savoir combien d'autres l'ont été avant lui, et ces mots formidables en moi, autour de moi, y compris sur le mur-crevassé-de-la-cuisine-qui-aurait-bien - besoin - d'un-lessivage : *Plus rien.*

Plus rien. Pour la première fois, plus rien à

attendre — plus d'alibis, de prétextes, d'objets magiques : plus rien qu'en moi ce soudain pouvoir effrayant d'exister, d'exister tout de suite.

Plus rien entre moi et ce gouffre : mon absolue liberté. Plus de cloisonnements, de séparations, de moi du matin et de moi du soir, de moi énonçant Dieu sans vivre Dieu. Soudain rassemblement de tout l'être, de tous ces rouages qui si longtemps ont fonctionné séparément, à vide. Plus de cloisons séparant la chambre d'enfants de la chambre à écrire, la chambre à penser de la chambre à vivre. Une seule liberté, une seule unité partout. Un seul combat toujours le même, où l'espoir même de la victoire est interdit. Vertige soudain de cette perspective.

Mais là où l'espoir finit commence l'espérance. Ce soir, demain, ressembleront aux autres jours ; mêmes mots, mêmes tâches, mêmes échecs peut-être. Mais une paix irriguant tout cela ; non pas la paix des solutions : la paix sans solutions. Une paix vivante, et qui consent à l'imperfection de la vie. Vieille nostalgie des Edens et des machines, vieille tentation d'enlisement, d'abdication, tu n'es pas morte, tu reparaîtras. Mais tu ne seras plus qu'une tentation, et plus jamais un but. Nous venons de renoncer aux machines. Il n'y aura pas de machine pour vivre à notre place, même si elle se pare d'un beau nom. Même si cette machine porte le nom de Dieu.

Prendre le torchon, essuyer le lait répandu. Préparer le repas du soir, et demain, patiemment, écrire un mot, un autre, un livre, *un de plus*. Hier encore cramponnée à la tenace illusion, je me disais « après ce pas, tout sera changé ». Rien n'est changé, sauf ce pouvoir en moi qui y fut toujours, mais auquel il fallait consentir pour qu'il m'appartînt. Rien n'est changé, mais je *puis* tout changer. Rien n'est changé, mais Dieu en moi peut tout changer, puisque j'y consens. Merveilleuse, effrayante liberté découverte. Non, ce n'est pas commode d'avoir la foi. Il reste à la vivre, comme on dit d'un livre rêvé : il reste à l'écrire. Et de ce reste dépend que le rêve soit un rêve, ou devienne vivante réalité.

Ici cessent les explications possibles, comme au seuil d'un livre. Si le livre ne signifie, à quoi bon l'expliquer ? Et s'il est vivant, il se suffit à lui-même. N'est-ce pas une suffisante preuve de foi, un livre de plus, une vie de plus ?

Vivre donc, écrire. Alors, pourquoi les deux ans passés à cette réflexion, qui n'est pas devenue un roman ?

Ces deux ans passés à ce livre d'images, un peu naïf, qui ne peut plaire qu'à des enfants, de ceux qui, un peu malades, ont l'habitude de la patience, tournent doucement les pages, sans les déchirer, et parfois reviennent en arrière, et s'endorment, la main posée sur une image qui les suivra de l'autre côté du miroir... ? Sans doute parce que c'est le livre que j'aurais voulu lire, enfant, dans ma chambre-grenier, que j'achève d'écrire dans cette chambre-ci, qui est aussi un grenier. Pour le seul enfant qui désirât ce livre, et auquel il fallait, pour le posséder, l'écrire. Mais sans doute l'écrivons-nous tous, à notre façon, et tous les jours.

Vainement ? Là encore, il n'y a pas de réponse. La seule réponse possible, c'est une de mes chères concierges qui me la donne.

Vieille femme sans hygiène, malpropre, pauvre, admirablement agressive, ne demandant ni ne donnant rien à personne, d'un orgueil de fer et d'une solide bêtise, elle nous apprit cette leçon. Nous allions la voir après un deuil qui nous laissait très abattus. Elle exigeait de nous un récit qui ne faisait qu'aggraver notre peine. « A-t-il beaucoup souffert ? Est-ce qu'il a su qu'il mourait ? Qu'a-t-il dit en dernier ? Est-il vrai que... ? » Nous nous défendions de notre mieux contre cette incursion dans nos sentiments, que nous jugions indiscrète. Mais nos tentatives pour détourner la conversation étaient vaines. Avec cette obstination sans pudeur des vieillards, elle nous ramenait sans cesse à ce lit de mort que nous voulions quitter. « Il paraît qu'il avait tant maigri ? Le docteur l'avait-il opéré ? A-t-il parlé jusqu'à la fin ? » Exaspérés par ce chagrin, sans cesse et comme à dessein ravivé, mon mari ne put se tenir de lui dire : « Est-ce qu'il est vraiment bien utile de remuer tout cela ? » Elle le regarda avec l'étonnement que donne l'évidence.

— Mais bien sûr, dit-elle fermement, il faut que les choses soient dites.

— Mais vous ne voyez pas le chagrin...

— Tout de même, dites-moi...

— Mais à quoi bon enfin ? C'est tellement inutile !

Elle y rêva un instant, vieille Pythie entourée de châles, de bouillottes, de tisanes malodorantes, d'obscures traditions sortant aux jours de fête d'armoires poussiéreuses. Elle pesa le pour et le contre, loyalement et sans pitié, de toute son expérience de matrone-cuisinière-accoucheuse-laveuse de morts, jalouse propriétaire de secrets oubliés et futiles, et trancha enfin, définitivement : « C'est possible. *Mais* il faut que les choses soient dites. » Nous sentîmes bien qu'il n'y avait rien à ajouter. Dans ce taudis malodorant venait de passer l'ombre du sacré. Inutilement, longuement, nous nous mîmes à raconter ce qui avait été.

ROMANS-TEXTE INTÉGRAL

i

i

J'AI LU LEUR AVENTURE

L'AVENTURE AUJOURD'HUI

L'AVENTURE MYSTÉRIEUSE

CONNAISSANCE

Introduction à une question et ouvrage de référence, chaque volume de cette série répondra à deux besoins de l'homme moderne : s'informer et se référer.

C/2 TOUTE L'HISTOIRE, par HARTMANN et HIMELFARB
En un seul volume double, de 320 pages :
Toutes les dates, de la Préhistoire à 1945.
Tous les événements politiques, militaires et culturels.
Tous les hommes ayant joué un rôle à quelque titre que ce soit.
Un système nouveau de séquences chronologiques permettant de saisir les grandes lignes de l'Histoire.

C/4 CENT PROBLÈMES DE MOTS CROISÉS, par Paul ALEXANDRE

C/5 LES ASTRES ET LA VIE SENTIMENTALE, par Marie-Louise SONDAZ
La somme de toutes les connaissances astrologiques appliquées aux relations professionnelles, affectives, amoureuses.

A l'étudiant, à l'enseignant,
à tout homme qui a fait sien le mot de Sartre :
« Ce que nous comprenons nous appartient »

J'AI LU PROPOSE

L'ESSENTIEL

Une encyclopédie par les textes des œuvres
et des idées

(Volume triple de 512 à 640 pages, cousu, broché)
TOMES PARUS

E/1 LETTRES D'AMOUR
Présentation de J.-C. Carrière.
Un genre littéraire important et
mal connu. Du XIIe au XIXe
siècle, l'amour a inspiré aux
grands écrivains quelques-unes de
leurs plus belles pages.

**E/2 VICTOR HUGO,
TÉMOIN DE SON SIÈCLE**
Présentation de Claude Roy.
Le meilleur Victor Hugo, celui de
« Choses vues », de « L'Histoire
d'un crime » et autres œuvres
biographiques.

**E/5 L'ENCYCLOPÉDIE 1751-
1772**
Présentation d'Alain Pons.
Le premier ouvrage qui rende
compte largement de cette immense entreprise. Les meilleurs
articles de Diderot, d'Alembert,
Rousseau, Voltaire, d'Holbach,
etc.

E/6 CASANOVA
Textes extraits des Mémoires,
présentés par Gilles Perrault, qui
renouvelle le sujet en démontrant
que Casanova était un homme
conditionné par son époque et
non un personnage littéraire.

**E/7 MICHELET, HISTOIRE
DE FRANCE**
Présentation de Claude Mettra.
Un commentaire inspiré autour
des textes les plus beaux et
parfois les plus ignorés du grand
historien.

**E/9 CHATEAUBRIAND, MÉ-
MOIRES**
Présentation de Claude Roy.
En suivant le fil des « Mémoires
d'outre-tombe », la vie de Chateaubriand et des extraits de ses
ouvrages romanesques, histo-
riques et de polémique.

**E/10 LES ÉCRIVAINS TÉ-
MOINS DU PEUPLE**
Françoise et Jean Fourastié ont
assemblé et présentent les textes
des écrivains qui, dès le Moyen
Age et jusqu'à nos jours, de Chrétien de Troyes à Zola ont décrit
le mode de vie et surtout le
niveau de vie des Français.

E/11 SHAKESPEARE
Quatre pièces célèbres dans leur
texte intégral, le résumé des
autres, 30 pages de sonnets et
un ensemble d'études inédites de
Gilbert Sigaux sur Shakespeare.

ses œuvres, sa troupe et le théâtre élizabéthain.

E/12 PROSPER MÉRIMÉE
Dans leur texte intégral : le Carrosse du Saint-Sacrement, Colomba, Carmen et d'autres Nouvelles accompagnées de nombreuses lettres choisies et présentées par Philippe Daudy.

E/14 GÉRARD DE NERVAL
Présentation de Marc Alyn.
En texte intégral : Poésies ; Petits châteaux de Bohême ; Lettres à Jenny Colon ; Les Nuits d'Octobre ; Promenade et Souvenirs ; Les Filles du Feu ; La Pandora ; Aurelia, etc.

E/15 SAINT-SIMON
A travers le dédale des célèbres Mémoires où s'agitent 7 000 personnages, Geneviève Manceron et Michel Averlant ont pris pour guide la vie même du duc de Saint-Simon, ses expériences personnelles de la guerre, de la cour et ses intrigues, à Versailles sous Louis XIV, à Paris sous la Régence.

ÉDITIONS J'AI LU

31, *rue de Tournon, Paris-VI*[e]

Exclusivité de vente en librairie :
FLAMMARION

12.125. — Imp. « La Semeuse », Etampes. — C.O.L. 31.1258
Dépôt légal: 4e trimestre 1970
PRINTED IN FRANCE